A BOOK OF
Modern German Lyric Verse
1890–1955

A BOOK OF
Modern German
Lyric Verse

1890–1955

EDITED BY

WILLIAM ROSE

OXFORD
AT THE CLARENDON PRESS
1960

Oxford University Press, Amen House, London E.C.4

GLASGOW   NEW YORK   TORONTO   MELBOURNE   WELLINGTON
BOMBAY   CALCUTTA   MADRAS   KARACHI   KUALA   LUMPUR
CAPE TOWN   IBADAN   NAIROBI   ACCRA

PRINTED IN GREAT BRITAIN
AT THE UNIVERSITY PRESS, OXFORD
BY VIVIAN RIDLER
PRINTER TO THE UNIVERSITY

PREFACE

THIS anthology has not been designed as a mirror of literary movements or to illustrate the varying style, technique, or mood of individual poets during successive phases of their creative writing. Currents are indeed reflected, and some poets are seen to display changing facets, but no poem has been included unless it was thought to possess some permanent quality. The criteria of choice were the personal taste of the anthologist and his assessment of poetic values. A few poems closely associated with some historical event seemed to transcend the occasion by which they were inspired, and a small number of ballads have been included on the assumption that this was justified by their inherent lyrical feeling.

Among the libraries to whose resources I gratefully acknowledge recourse are those of the Institute of Germanic Languages and Literatures of the University of London and the Austrian Cultural Institute. My colleagues Professor Leonard Forster and Mr. Michael Hamburger kindly gave me access to their private collections. Professor H. W. Eppelsheimer, Director of the Deutsche Bibliothek in Frankfurt am Main, helped to disentangle problems of copyright ownership which had been rendered peculiarly difficult by the upheavals and catastrophes of recent years.

The accuracy of the transcripts owes much to the devoted work of Miss Jean Whiffin, to whom I am deeply indebted for her meticulous copying, her unwearied vigilance, and her searching scrutiny of the idiosyncrasies of various poets in matters of punctuation and orthography.

W. R.

November 1958

INTRODUCTION

THE convulsive course of German history, associated with a shifting social background, has for a century and a half deeply affected the mood and temper of German poets. The aura of romanticism in which the nineteenth century opened remained undimmed during the last fifteen years of the Napoleonic wars, and the burst of patriotic verse which preceded the victories at Leipzig and Waterloo fused romantic feeling with the aspiration for a union of the German peoples in a common realm which, in the minds of some of its advocates, resembled a Utopian dream tinged with nostalgia for the mystic symbolism of the Holy Roman Empire. Waterloo, however, cleared the way for the all-embracing reaction of the Metternich régime, and the frustrated desire both for a measure of civil liberty and for a united fatherland, struggling for expression in poetry as in other forms of literature, had to seek ways of disguise before men could communicate with one another through the intellectual barriers set up by the sovereign authorities to subdue the turbulence of restless minds.

Goethe, still producing great poetry in his quiet corner of Germany, for all his absorption in scientific studies, watched the changing world with a certain apprehension and perused some of the productions of a younger literary generation with aloof distaste. These younger men, for their part, whether they regarded him with admiration or dislike or a mingling of both, were unable to escape from his spell. Attempting to come to grips with the encroaching world in which they lived, no longer finding satisfaction in dreams or a sedative in an imagined golden age of medieval virtue, they caused the years until the abortive revolution of 1848 to echo with the reverberations of their polemical verse and prose. Poets of the first rank, such as Platen, Heine,

Annette von Droste-Hülshoff, Lenau, and Mörike, were not lacking, but they too were largely torn and distraught by a spiritual malaise which had its roots in the social disequilibrium of the age. Romanticism, in a variety of forms, retained its hold upon the German mind well into the post-war period and, in fact, drawing upon obscure and inexhaustible depths, has never wholly lost it. The dawn of the industrial era, coming later to Germany than to England, was greeted by some with enthusiasm, by others with regret for the passing of a world symbolized by the stage-coach or distrust of the machine which symbolized a harsher organization of society and heralded the sharpening of class conflict.

After the political failure of 1848 the shadows deepened once more, and the striving of the spirit which had been so striking a feature of the preceding decades subsided into apathy, resignation or despair. The always accessible gateway to romantic escape again proved an irresistible lure, and poetry ambled peacefully along the sentimental by-paths, little troubled by the deeper thought and feeling which had imbued the Romanticism of earlier years and impelled it to plant so many seeds that were to flower in literature and learning. A group of poets, settled at Munich under royal patronage, furnished the people with a flow of shallow verse whose lack of profounder emotion, originality of theme, or urgency of inspiration was not concealed by the cult of formal beauty. The reader could lap his soul in a tepid glow, or, when his mood was less tender, turn to the versified satire with which these years abounded and there find compensation for the lack of active participation in public affairs to which he was condemned by the political and social structure of the more than thirty kingdoms and principalities into which the former Holy Roman Empire was still divided. Hebbel, Storm, Keller, and Conrad Ferdinand Meyer, the last two in Switzerland, stood head and shoulders above the crowd of versifiers, but they all made their chief contribution in other fields of literature.

United at last in an Empire which was imposed from above, created by the princes and not moulded in accordance with the will of the people, an Empire moreover from which Austria, the nation with the richest cultural tradition among the German-speaking peoples, was excluded, political integration brought no enrichment of the arts. The poets drew no deeper inspiration from the sudden material prosperity which followed the last of Bismarck's three victorious wars than they had done from the war itself. We know now that the massive structure of the Hohenzollern Empire, strengthened, consolidated, and apparently rendered indestructible during the ensuing decades, was to endure for no more than forty-eight years, but at the time there was no foreshadowing that its span of life would be so meagre. There was, however, little sense of national fulfilment reflected in the noteworthy literary productions that preceded the First World War.

It was not until the 1880's that protest against the flat mediocrity of the literary landscape crystallized in the Naturalist movement. Naturalist theory as a whole, in an almost overwhelming spate of critical and programmatic utterances, advocated experiment with new themes and new techniques. From France, Scandinavia, and Russia came the stimulus to draw for subject-matter upon the fullness of contemporary life, including its evils and its ugliness; from Darwin and the new scientific ideas of the day novelists and playwrights derived their interest in the effect upon character of heredity and environment. Man and his milieu were to be presented in as close an approximation to photographic reproduction as the means at the writer's disposal would admit, the personality of the artist being eliminated, and this aim culminated logically in the technique of 'consistent Naturalism' evolved by Arno Holz and Johannes Schlaf, an attempt to reproduce in words as accurately as possible what the writer could see, hear, touch, taste, and smell. It was a technique which found a permanent place in creative literature only in the early plays of Gerhart Hauptmann. Poetry profited little from the insistence that literature must share a garret with life, a demand which was able only rarely to spark off the imagination. There was no questioning that the evidence of the five senses was 'reality'.

In the last days of 1884 appeared the lyrical anthology *Moderne Dichtercharaktere*, in which the younger generation of poets, mostly North Germans, pressed their demand that poetry should accept the challenge of modern conditions and problems. The stress was both on 'modern' and on 'character'. But this vanguard of poets revealed no departure from traditional forms, no experiment with language, and elimination of personality was found to be neither feasible nor desired. It was possible to seek complete objectivity in the novel or the drama, but the poet could not so readily agree to suppress his emotional response and there was a greater surrender to impulse than was compatible with Naturalist theory. These poets demanded in fact the expression of individual personality, and one of their spokesmen wrote of 'die ganze schwüle Herzenssehnsucht einer wahrheits- und freiheitsdurstigen Jungmannschaft', which erupted in 'lodernden Flammen und schwelenden Rauchwolken'. This was *Sturm und Drang*, and an essential element in the ferment was a new social feeling to which the recent acquirement of national unity in some degree contributed. One of the prefaces with which the anthology was furnished, while making no claim to either perfection of form or originality of content, declared that a new spirit was abroad in the realm of art, animated by protest against lack of truth to Nature and lack of character, against injustice, cowardice, hypocrisy, and obscurantism, and against the selfish particularism that prevented the emergence of any strong feeling of community or living consciousness of unity. Poetry hitherto was charged with having nothing titanic about it; it was trivial, devoid of genius, and contrary to the spirit of the new age, a Germanic spirit bound up with the reawakened national consciousness. German poets must once more be seized by a 'Faustian urge', inspiring them with the realization of their mission to become guardians, leaders, comforters, physicians, and priests of suffering humanity. We may perhaps see here, apart from the normal seriousness with which German poets regard their vocation, an anticipation of the later Expressionist generation in whom the First World War evoked a sense of compassion and avowal of universal brotherhood. The tempestuous urge was, however, already sapped by weariness and disillusion, and strains of dissonance and despair were not absent even from the poetry of the leaders of the movement. Such originality as they could claim rested upon their further exploration of the thematic material offered by urban life and proletarian misery. Even Arno Holz's *Buch der Zeit*, despite his cry 'Modern sei der Poet', was remarkable mainly for its emphasis on these themes.

Two outstanding poets did not fit into the prevailing movement. Nietzsche and Liliencron were of an older generation, both having been born in 1844, but it was they, and not their juniors, who heralded the emergence of the poetry which first appeared in the nineties and with which the modern age of German lyrical expression may be said to begin. The reverberating voice of Nietzsche, to be heard again, though without its warmth, in the verse of Stefan George, his rhapsodic style, in both prose and poetry, his sensitive mastery of language, his deep-toned utterance of individual feeling were unique at a time when German literature was content to echo the past and even the Naturalist pioneers had not yet appeared on the horizon. Though his mind had become clouded before 1890, he cannot be omitted from an anthology of the modern German lyric. Nor can the early poetry of Liliencron, the retired army officer whose natural gift for transmuting into plastic form the feeling and sensuous impressions of a far less profound and brilliant personality thar that of Nietzsche was likewise without its equal when he published his first volume, *Adjutantenritte*, in 1883.

Arno Holz, in his later phase, experimented with free verse forms. Having come to the conclusion that poetry could not be revolutionized by the introduction of new themes, but that the verse-form itself must be revolutionized, he declared that rhyme was unnecessary and the stanza equally antiquated. The poem must be dominated by an 'inevitable rhythm' and built up of lines grouped round an invisible central axis. This theory he implemented in a vast sprawling cycle of impressionistic poems called *Phantasus*, designed for the eye as well as for the ear, which he kept enlarging since it was capable of absorbing anything he wanted to put into it. *Phantasus* remains a baroque curiosity that did not affect the further development of the German lyric.

The last decade of the nineteenth century witnessed the emergence of four poets who quickened the German lyric with impulses that marked the beginning of a new era. Modern German lyric poetry may be said, with some reservations, to date from the 1890's, when George, Hofmannsthal, Rilke, and Dehmel began to publish verse that opened up new prospects of lyrical expression and, each poet in his own way, revealed the rich potentialities of the German language. The name of Dehmel is now less familiar than those of the other three, and his vital influence has been largely forgotten, but each of them, though he attracted disciples or at least influenced the diction of other poets, still stands out like a solitary peak in the poetical landscape of the past seventy years.

As the arbiter of a group of devotees, not all of them creative writers, whose aesthetic ideas, in complete contrast to those of the Naturalist movement, were enunciated and illustrated in the periodical *Blätter für die Kunst*, Stefan George laid down certain tenets that were binding upon the *élite* of poets, scholars and others who comprised his circle. The stress was on form and language, on the evocation of austere beauty, and on clarity of expression, though this last aim was not altogether compatible with their belief in the magic power of obscure words. Sound was important, though music as an art was held in disdain. Their interest was in man as an individual, rather than in the social community of men, and the tendency to hero-worship was displayed in the monographs on great figures written by the historians of the circle. Social problems left them cold. The striving for perfection of form was to be combined with *Seelentiefe*, though spiritual depths were to be plumbed in poetry whose 'meaning' was of little importance. 'Mit Ernst und Heiligkeit der Kunst nahen.' Their theory of art expressed the will to establish a specific form of culture, and this, though intended for the select few, implied more than merely art for art's sake. Their art was, in fact, a kind of religious cult, which included the cult of language, and its votaries worshipped as ordained priests in a temple from which the general congregation was excluded. The George circle later discarded to a certain degree its aesthetic indifference to the social situation and attempted to impress its stamp on German culture, though without surrendering its hieratic aloofness. The atmosphere of pretentious artificiality with which the cult was surrounded impels one to suspect in the movement a conscious flight from reality.

George's poems are, on the whole, static. Both individually and as cycles, in which they mostly appeared, they reveal his rigid sense of architectural construction. False or impure rhymes and rhythmical irregularities are taboo. His books, at first privately issued, were printed in an unaccustomed type that, together with an unconventional form of punctuation and the elimination of capitals except at the beginning of lines, hinders rapid reading. He is not concerned to transmute into poetry an immediate experience. Elemental

Nature makes no appeal to him; it has to be subdued and cultivated before he can appreciate it. Friendship is celebrated rather than love. We see him dominating in fancy a world with which he has no inner contact, withdrawing at one point into a sphere where his own will is supreme and all wishes, even morbid inclinations, can be fulfilled. There is something typically and romantically German in this mood of Caesarism intoxicated with aesthetic refinement of feeling, but the poetic style is measured and unemotional. Even in his earlier phase, however, he is not lacking in development and he comes to realize the falseness of the dream-world he has constructed for himself. Passing through a stage of melancholy and loneliness verging on despair, listening to an inner voice that reaches him from afar, his will to dominate his disciples and the world outside the temple walls appears to have become fortified. In his later volumes of verse he proceeds to proclaim with prophetic thunder that degenerate mankind, sunk in materialism and apathy, can achieve salvation only by acceptance of the leadership he represents. The German nation must be educated, like his disciples, into blind obedience to a Leader who still holds himself apart while continuing to give forth oracles.

George's poems are frequently comprehensible only within the cycles in which they are printed. These cycles are organic unities in which the successive stages of his development are revealed, and there can be no doubt, despite his majestic manner, that he underwent spiritual crises. If we were to believe Gundolf, the Heidelberg Professor of German Literature who was his favourite and most faithful adherent, we should have to accept that George was wholly free from doubts and anguish, but this is simply not true, as can be discerned through the formal beauty of his earlier poetry if we look deep enough. The emotion is not wholly concealed, subdued and controlled though it is, and the thought-content comes more and more to the fore with each of the later volumes.

Beginning under such diverse influences as those of Nietzsche and the French Symbolists, George was forced by the impetus of his own personality into a wider arena, and his impact on the outlook of his countrymen, exerted through his circle of scholars and idealists, was for a time not inconsiderable. He has made hardly any appeal outside Germany, but to him and to his very different contemporary Rilke must be credited the cardinal poetic achievements of modern German literature. His voluntary emigration to Switzerland, where he shortly afterwards died, when the Nazis came to power was a gesture of disdain for an ideology that, despite a claim to kinship with his own, signified the repudiation of his lofty vision.

Rilke, for all his innumerable friends and correspondents, was, like George, a solitary figure. His early poetry reveals a nostalgia and questioning that were later to be focused on the twin problems of the nature of God and the nature of death. He never ceased to insist upon the creative influence of solitude and, sheltering his over-sensitive spirit so far as he could from the nerve-wracking impact of the external world, his maladjustment to the community of his fellow men was such that existence was possible for him only by virtue of the indulgence displayed by his generous publisher and other solicitous friends. Two visits to Russia tinged his already receptive mind and feeling with a naïve religiosity that he was able to precipitate in the mystic poems of *Das Stunden-Buch*, where introspective dwelling upon the emotions of monasticism, poverty and death is expressed in symbolism embracing his conception of a personal death which matures within the individual until it becomes a fulfilment of life, the dependence of God on man as well as the dependence of man on God, and the perturbation of soul which comes from the herding of men in cities.

In Paris, the milieu of his prose work *Die Aufzeichnungen des Malte Laurids Brigge*, which is saturated with the neuroses of the modern age, he came under the influence of the sculptor Rodin. Rodin taught him to organize and concentrate his inward vision, to observe objects as complete within themselves and bound by their own laws, with a view to the achievement of artistic form. Abandoning the mystic diffuseness which held the threat of insincerity, his new keenness of visual penetration, seeking to fathom the ultimate meaning of things outside himself, was transmuted into the poems, with their more concrete themes, of *Neue Gedichte*. Even a movement can be pregnant with significance, can almost be given corporeal shape and structure.

The weight of interpretation which has been concentrated in recent years on the abstruse thought and involved mythology of the *Duineser Elegien*, together with the posthumous publication of a large amount of weaker verse that Rilke himself had retained unprinted in his archives, has tended to obscure the fact that Rilke is the most gifted lyric poet in the German language since Goethe. It is the sensitive poet who is important, not the idiosyncratic thinker. As an artist in words, an originator of metaphors, a master of flowing rhythm, he created a melody that is unique in German poetry.

The bulk of Hofmannsthal's poetry is small and the best of it was written at a remarkably early age, considering its maturity. He came within the orbit of Stefan George, but, though sharing the latter's aristocratic reserve, was unable to accept the restraint imposed upon the coterie. Like his fellow Austrian Rilke he was of sensitive and fastidious temperament, and like George, who was also fastidious but more doubtfully sensitive, he possessed a sense of solemnity that he was able to express in musically controlled language. But the Romantic heritage and the kinship with Novalis are more evident in his poetry than in that of either George or Rilke. Reality and dream are interwoven, there is a constant awareness that life is transient, the thought of death is ever-present, and music is not only the guise in which death appears but an allurement to those seeking oblivion. In three lines of the poem *Erlebnis*, not alone the idea, but nearly every word, is characteristic of his mood:

> Das ist der Tod. Der ist Musik geworden,
> gewaltig sehnend, süß und dunkelglühend,
> verwandt der tiefsten Schwermut.

Avoiding contact with life while questioning its meaning, Hofmannsthal's surrender to an over-refined cultural atmosphere was yet not without some feeling of human brotherhood, a consciousness of other environments that were grim and ugly, though this is far removed from the realization by his younger Austrian contemporary, Franz Werfel, of involvement with all things and all men and his feeling of universal compassion that can swell to an ecstatic longing for self-martyrdom. Hofmannsthal dissects his own inner life and experience. Like Rilke, he is a virtuoso in the portrayal of his delicate sensibilities. The Austrian critic Hermann Bahr wrote of a romanticism or mysticism of the nerves. Naturalism had fostered an interest in 'nerves' and physical sensations, and when it merged into Impressionism this was an indication of psychological interest in the sensitive human make-up. Hofmannsthal's poetry, with its apprehension, its disquietude, its sensing of unreality in the apparently real, is imbued with a narcotic sweetness and a mournful resignation issuing from a weariness which finds a point of rest in the thought that life is a dream. An awareness of the cosmic mystery is frequently encountered in modern German poetry. Theodor Däubler's, 'Die Dinge sterben ab, die Rätsel bleiben'; Else Lasker-Schüler's, 'Es pocht eine Sehnsucht an die Welt, an der wir sterben müssen'; Christian Morgenstern's *Vöglein Schwermut*—these are but a few instances of the haunting thrill that pervades the questing spirit. It is not rare for a poet to enjoy hovering in melancholy, to extract a subtle pleasure from the suffering of the spirit engendered in him by his relation to the world, by his situation in time between the past and the future, but the dilemma has never been expressed with more poetic urgency than by Hugo von Hofmannsthal.

Unlike so many of his contemporaries, Dehmel was not obsessed with the idea and phenomena of decay and death. With a robuster attitude to natural forces and a strong sense of reality, he brought to poetry his vivid experience of life and love with a turbulence of emotion that did not shrink from probing any physical impulse. 'Noch hat keiner Gott erflogen, der vor Gottes Teufeln flüchtet' was a statement that betokened a daemonic urge, both sensuous and mystic, to apprehend the creative spirit which dwells even in the most censured of human instincts. He was infused with the bursting vigour with which life endows both mind and body, and through much of his verse, rising at times to an ecstatic pitch, there sweeps an elemental tumult that is in striking contrast to the drooping, if elegant, melancholy of the *fin de siècle*. In a letter of 1909 to his fellow poet Alfred Mombert he compared his own 'sturmverzerrte Fichten' with George's 'Kakteen' and Rilke's 'Orchideen', and elsewhere he spoke of his 'Allzumännlichkeit', his excess of masculinity. The physical urge was, for Dehmel, an essential ingredient of spirituality, and it is no cause for surprise that he was charged both with being immoral and with being unintelligibly mystical. He was endeavouring, in fact, to spiritualize sexual passion while insisting on the right to satisfy it. There was a group of so-called 'Cosmic Impressionists', of whom his friend Mombert, wafting himself mystically through interplanetary space and creating his own mythology, was the most loosely attached to the earth, whose poetry soared into the outer void in search of inspiration. Dehmel, though having something in common with these, never lost touch with the ground; for him the experience of love between man and woman in all its aspects was the key to the comprehension of the mysterious universe, and an exuberant life-force throbs and flows throughout his poetry.

A note of social compassion, with the same insistence on

the right of the individual to spiritual development which speaks from his more subjective poetry, inspired a number of masterly pieces which, lacking his usual abounding emotion, state in the simplest of terms the longing of the workers to live as human beings and the conviction that a better time will come. With their effective refrains, weighty and significant, Dehmel's control of his medium is ensured by his rhythmic sense of symmetry and structure. In other poems a subdued emotion or mood remains undisturbed by didactic, metaphysical or other intention. He is, at his best, one of the most musical of German lyric poets.

The grouping of poets within their generation inevitably involves the critic or literary historian in a simplifying process, which may subordinate the subtle distinctions of analysis to convenience of classification. A tendency of German poets to set themselves up as dispensers of doctrine or propounders of a new vision induces in their interpreters a confusion of categories which clouds the assessment of individual poetic achievement. The Expressionist movement, which reflected a psychological unease preceding the First World War, gathered momentum during the years of conflict, and filled the theatre and the world of letters with its clamour for a short space of years after the catastrophic defeat, did not comprise one closely-knit school of poets and dramatists all inspired by the same ideal and practising the same techniques. Beginning with the presage of doom that filled the poetry of Georg Heym with lurid portents, it grew more and more agitated and explosive, but the term was sufficiently wide to include melancholy and rapture, despair and optimism, traditional form and inarticulate stammering. Thought and emotion could be controlled or chaotic. The urge to pierce beyond the surface to the inmost core in search of reality was not a new impulse among poets, but the white heat generated in the process exceeded all precedent. Distortion was regarded as an aid to expression of the ultimate essence. An all-embracing compassion and a vague belief in the emergence of a new humanity were the most striking characteristics of the mood that distinguished the poetry of the First World War and its aftermath from that of the years which followed the Second World War. The second post-war generation was overwhelmed by the completeness of the cataclysm and lacked entirely the hopes and faith of its predecessors. The relation of Expressionist writing to Expressionist painting has never been clarified, and recent attempts to trace its inspiration back to Baudelaire and Walt Whitman have only served to confound the approach to a preciser definition. More and more poets are brought under the roof of 'Expressionism' until the term has become almost meaningless. There was no generally accepted coherent purpose, either aesthetic, ethical, or social, behind the turmoil. It was, in its extremer forms, essentially an emotional outburst, akin to the *Sturm und Drang* of the eighteenth century, but conditioned by a profounder discontent with man's situation, and the situation of the Germans in particular, and a more burning desire to break abruptly with the past than had ever before inflamed the literature of any nation.

The outstanding poets of Expressionism were Georg Heym, who was drowned while skating in 1912, Georg Trakl, who died from an overdose of drugs while on military service on the Eastern Front in 1914, Ernst Stadler, who was killed by a British shell on the Western Front in the same year, Franz Werfel, who survived to escape to America across the Pyrenees after the fall of France in 1940, Johannes R. Becher, who emigrated to Russia, and Gottfried Benn, who remained in Germany.

Heym's presentation of the daemonic urge driving man to encompass his own destruction, his apocalyptic vision of doom peopled with personified superhuman or anti-human forces, hyperbolic figures of Death and War, that sprang from an enveloping *Angst*, his grotesque pictures of an urban

civilization trapped by a fate that it could not ward off—
all this is shaped by a powerful gift for poetical concentration that was lost to German literature by his early death.
The absence of explicit pity or indignation distinguishes him
from the later Expressionists, but he could not have written
as he did if he had not been deeply troubled at the human
situation of his time.

The softer outlines and melancholy cadences of Trakl's
poetry, frequently interspersed with starker tones, do not
conceal an involved psychological conflict, reaching into
pathological depths, that was stamped with the impress of a
repulsion inspired by the civilization into which he was born,
a civilization that he regarded as soul-destroying. For him
the cities were characterized by a spiritual emptiness, rather
than charged with the malignant forces pictured by Heym,
though he too dwells in some of his poems upon an uncanny
threat in the doom-laden atmosphere. Autumn and evening
appear in their peaceful aspects, as well as foreboding decay
and death. Rich in imagery, with a minimum of reflection,
his poetry does not clearly convey the complex of mood and
feeling implicit in the words he employs, and his colours,
particularly his favourite epithet 'blue', possess a symbolic
meaning which at times defies interpretation. The key-
words do not seem to carry a constant significance. Trakl
comes near to applying a code which the key does not always
fit; and one must ask whether this is not, to that extent, an
evasion of the work the poet must do if he is to communicate
effectively either meaning or emotion.

Stadler is included among the Expressionists because he
shares with them certain common motifs, but these are
little more than indicated and his poetic achievement can
hardly be classed with that of Heym or Trakl.

Werfel lived long enough to confirm and enhance his
poetic stature, bringing the hymnic element in Expressionist
poetry to a climax.

The cold intellectual objectivity of Gottfried Benn,

reflecting the detached clinical attitude of the medical observer to human physical corruption, added a further touch of the gruesomely macabre to a movement which was notable for its warmth of feeling and its overwrought mode of expression.

With the political and social development of the Weimar Republic the poetic fires were damped by frustration and disillusion. Werfel moved to the more tranquil sphere of the novel, and the voices of others became subdued or died away. Becher, one of the most facile and turbulent of the revolutionary poets of his generation, discovered his Utopia in the Communist State, hymned the praises of Lenin, Stalin, and the U.S.S.R., and eventually became Minister of Culture in the Eastern German republic. Benn for a time gave his allegiance to Hitler's Third Reich.

Before German literature was brought under the supreme control of the *Reichsschrifttumskammer*, the return to a less emotional form of writing was hailed as *Neue Sachlichkeit*, the 'New Objectivity'. In poetry it was represented mainly by a strain of satire and cynical humour. New ideas that were struggling for expression were, however, soon smothered by the blanket of National Socialist ideology, which the accession to power of an authoritarian régime made into the established and only permissible religion. From 1933 to 1945 the dominant features of German verse within the Reich, and eventually in Austria, were the hypnotized exposition of the doctrine of blood and soil, its association with the racial superiority of Nordic man, the glorification of tribal instincts and a pagan mythology as essential to the German genius, and the propagation generally of a philosophy which succeeded in mobilizing the greater part of the non-German world to bring about the destruction of the nation that so ruthlessly put it into practice.

When, after the sterile years, poets were free to have their say, they had little to give in the way of new vision, new ideas, or new techniques. There was no passionate revolt of the spirit such as had occurred after 1918. An optimistic heralding of 'the new man' and of universal brotherhood could find no encouragement amid the rubble of the razed cities. Both Utopias and ivory towers were at a discount. There was room only for sober consideration of the abyss into which man had fallen, though little realization that the Germans themselves had plunged into it headlong. Such sense of guilt as existed could not, however, as in the case of the Expressionists, be transferred to the fathers. During the war there had circulated in secret manuscript poems by, among others, Werner Bergengruen, Rudolf Alexander Schröder, and Reinhold Schneider, in which the nation or the leaders were indicted for what they had done. After the war some poets accepted their share of individual responsibility, but the call to repent was not popular, and Rudolf Hagelstange's grim reminder, 'Mit dem Blute Seths und Sems ist unser tägliches Brot geknetet', spoke only to a minority of contrite hearts.

For twelve years the Germans had been cut off from vitalizing movements in European culture, and though there was eagerness to know what intellectual and spiritual stirrings may have been set in motion beyond the frontiers, particularly in the Anglo-Saxon countries, poets displayed little inclination to experiment with lyric forms. The employment of the sonnet, which had been much favoured in the poetry of resistance, even of the sonnet sequence, and of classical metres seemed to indicate a desire to cling to something traditional or permanent in a world where so many criteria had ceased to be valid. Though it was not long before a renewed interest in Expressionism became perceptible, there was no urge to copy its exaltation. Diction and gesture were subdued, and the more successful lyrics composed during these years are marked by a comparative simplicity of utterance. A later tendency to omit punctuation and capitals, together with a certain curiosity about the more recent products of Dada and the belated impact of

Surrealism, may be regarded as indicating a dilemma that seeks refuge in eccentricity.

The debasement of language in poetry received encouragement from the example of Benn, whose use of foreign words, often given a German grammatical form, has been extolled as evidence of linguistic genius. This, together with other devices such as fragmentary reference, sometimes only a noun flung in, may perhaps be regarded rather as a confession of difficulty in communication. He does not always avoid the danger of slipping into the banal. In his earlier poetry there was much ambiguity, ambivalence, and obscurity, and though his style has mellowed and many of his later poems have both controlled force and beauty, his startling neologisms and other tricks are hardly a valid form in which to communicate experience. The brain exerts itself to supply what the feeling cannot shape.

The influence of Benn displaced the influence of Rilke, and this was due not only to the concise utterance and finished technique with which, in his later poetic phase, he declared his negative philosophy of life, but to the attraction of the philosophy itself. The frigid play of intellect was preferred to infinity of feeling, and conscious virtuosity in the handling of language to intuitive genius in the use of words. The despair of Benn's earlier poetry evolved into a nihilistic outlook which appealed strongly to a generation that looked in vain for more positive guidance. A stormy debate has, however, recently been unleashed, and the uncritical eulogy which could place his poetic achievement above that of Rilke appears to be dispersing at the call for more balanced judgement.

Another poet in his sixties who suddenly captured the imagination of youth was Wilhelm Lehmann, the oldest member of a school of nature poetry to which belonged Oskar Loerke and Elisabeth Langgässer. In their communion with Nature both Lehmann and Elisabeth Langgässer like to accumulate the names of unfamiliar plants, and the latter is particularly prone to exploit this usage in order to invoke some mythological significance, relevant to human destiny, which is not always evident to the reader.

Three poets among those whose work has been published wholly or mainly since 1945 have enriched German literature with the very stuff of poetry, forged in language from which all dross is absent. The collected poems of Gertrud *203* Kolmar, murdered in a Nazi concentration camp, reveal a burning temperament and a mastery of language that rank her with the foremost women poets of Germany, and perhaps at the head of them all. Christine Lavant is an Austrian, *262* afflicted in both sight and hearing, whose poetry bears witness to deep and passionate spiritual conflict and suffering, expressed in metaphors formed by a powerful inner vision. Peter Huchel, who lives in the Eastern German *236* republic, commands something of the eternal quality of folk-poetry with a cadence that matches, in its mellow music, a rhythm of feeling profoundly sensitive to the haunting mysteries of the natural world.

The division of Germany between West and East has not been without its repercussions on poetry. Most poets of the Soviet-occupied zone, now called the German Democratic Republic, laboriously seeking inspiration in the Marxist-Leninist ideology and achievements, have succeeded only in producing rhapsodic rhetoric. Johannes R. Becher had begun this long before the Second World War, and since its end he has had numerous disciples. Even Bertolt Brecht *216* contributed his *Lob des Kommunismus* and celebrated in ballad form the peasant of Kazakstan who joined a *kolkhos*, acquired from the Soviet authorities a motor-pump to water his fields, and by his skill enormously increased the harvest of millet, thus winning for himself the Order of Lenin and helping to feed the Red Army which eventually destroyed the German invaders. A poet and critic, Georg Maurer, writing recently in the East German official cultural review *Aufbau*, comments frankly that young lyric poets are unconvincing when they declare that the kisses of their sweethearts are incentives to the fulfilment of five-year plans and other patriotic duties. The social element, absent from the poetry of the West, is all-pervading in the East.

It must be emphasized once more that the temper of German poetry has fluctuated with the political fortunes of the German-speaking peoples. Even the older generation of poets represented in this anthology cannot, in any precise analysis, be considered in complete detachment from their national and chronological background. Hofmannsthal was an Austrian in every fibre of his feeling, constantly aware that the Austria he knew was moving towards its dissolution. Rilke was another Austrian who, while seemingly rootless, shared with his fellow countryman Kafka a profound apprehension, in both senses of the word, of a looming menace overshadowing a civilization that had lost the self-assurance of the nineteenth century. This apprehension was by no means confined to the Austrians, but they seemed to possess an exceptionally delicate sensibility, or nervous system, that rendered them peculiarly accessible to emotional impressions. When the initial catastrophe of 1914 opened the way to a moral and ideological upheaval that brought ever-increasing disasters in its train, even the detached dreamer could not wrench his vision from either the tangible or the intangible conditions of existence in the twentieth century. It was still possible to write verse that was apparently timeless and uncommitted, but the dates 1918, 1933, and 1945 are in Germany landmarks even in the record of lyric poetry, and knowledge of the decade, or in some cases the year, in which a poem was composed may be indispensable to an appreciation of its essential significance.

Apart from national transformations, there has been a fundamental change in scientific conceptions both of the nature of the universe and the constitution of the human ego, and this, together with the increasing subjection of the

individual to social and technological control, has inevitably affected the complex of mood, emotion, and thought
which is the womb of poetry. The fragmentation of reality
has bewildered the poets and exposed them to the corroding
effects of incertitude. The dilemma which leads men in the
present age to question the validity of any statement, and
which is not likely to be resolved within foreseeable time,
has for the past seventy years been foreboded and reflected
in the poetry of the German-speaking peoples.

WILLIAM ROSE

ACKNOWLEDGEMENTS

THE compiler of this anthology is indebted to the following poets for their courteous permission to print their work—Max Barthel, Peter Huchel, Erika Mitterer, Wilhelm von Scholz, and Armin T. Wegner.

The following publishers and others have also kindly granted the right to print poems of which they own the copyright:

Verlag der Arche, Zürich (G. Benn, W. Bergengruen, and R. Schneider).

Atrium Press, London (E. Kästner).

Aufbau-Verlag, Berlin (J. R. Becher).

Bechtle Verlag, Eßlingen am Neckar (W. Bächler and H. Piontek).

Lothar Blanvalet Verlag, Berlin (A. Haushofer).

Claassen Verlag, Hamburg (E. Langgässer).

Deutsche Verlags-Anstalt, Stuttgart (K. Krolow and B. von Münchhausen).

Eugen Diederichs Verlag, Düsseldorf and Köln (K. Bröger, G. Engelke, H. Lersch, A. Miegel, and L. von Strauß und Torney).

Hans Dulk Verlag, Hamburg (R. Binding).

Verlag Heinrich Ellermann, Hamburg (G. Heym and E. Stadler).

S. Fischer Verlag, Frankfurt am Main (R. Beer-Hofmann, A. Goes, H. von Hofmannsthal, O. Loerke, F. Werfel, and C. Zuckmayer).

Forum-Verlag, Wien (A. Petzold).

Carl Hanser Verlag, München (W. Höllerer).

Hoffmann und Campe Verlag, Hamburg (J. Weinheber).

Frau Anita Holz (A. Holz).

Hundt-Verlag, Hattingen-Ruhr (A. von Hatzfeld).

Insel-Verlag, Wiesbaden (H. Carossa, R. Hagelstange, R. Huch, C. Morgenstern, M. Mell, and R. M. Rilke).

Ernst Klett Verlag, Stuttgart (R. Borchardt).

Vittorio Klostermann, Frankfurt am Main (F. G. Jünger).

Kösel-Verlag, München (T. Däubler, F. Schnack, E. Lasker-Schüler, and K. Weiß).

Verlag Helmut Küpper vormals Georg Bondi, Düsseldorf (S. George).

ACKNOWLEDGEMENTS

Albert Langen/Georg Müller Verlag, München (M. Dauthendey and A. Lichtenstein).

Wulff, Baron von Liliencron (D. von Liliencron).

Limes Verlag, Wiesbaden (G. Benn and A. Claes).

Otto Müller Verlag, Salzburg (C. Lavant and G. Trakl).

R. Piper Verlag, München (S. Andres, H. E. Holthusen, O. zur Linde, and C. Morgenstern).

Verlag Lambert Schneider, Heidelberg (W. Lehmann and G. Kolmar).

Verlag Styria, Graz (A. Wildgans).

Suhrkamp Verlag, Frankfurt am Main (B. Brecht, G. Eich, H. Hesse, and R. A. Schröder).

Frau Vera Tügel-Dehmel (R. Dehmel).

Paul Zsolnay Verlag, Wien (A. Holgersen).

SELECT LIST OF SOURCES

S. Andres: *Der Granatapfel* (R. Piper Verlag, München, 1950).

W. Bächler: *Die Zisterne* (Bechtle Verlag, Eßlingen am Neckar, 1950).

J. R. Becher: *Päan gegen die Zeit* (Kurt Wolff Verlag, Leipzig, 1918).

—— *Auswahl in sechs Bänden. Band I* (Aufbau-Verlag, Berlin, 1952).

G. Benn: *Gesammelte Gedichte* (Limes Verlag, Wiesbaden and Verlag der Arche, Zürich, 1956).

W. Bergengruen: *Dies Irae* (Verlag der Arche, Zürich, 1946).

—— *Die heile Welt* (Verlag der Arche, Zürich, 1950).

R. Borchardt: *Gesammelte Werke. Gedichte* (Ernst Klett Verlag, Stuttgart, 1957).

A. Claes: *Der Mannequin* (Limes Verlag, Wiesbaden, 1956).

G. Eich: *Abgelegene Gehöfte* (G. K. Schauer Verlag, Frankfurt am Main, 1948).

—— *Botschaften des Regens* (Suhrkamp Verlag, Frankfurt am Main, 1955).

A. Goes: *Gedichte* (S. Fischer Verlag, Frankfurt am Main, 1953).

R. Hagelstange: *Zwischen Stern und Staub* (Insel-Verlag, Wiesbaden, 1953).

A. von Hatzfeld: *Melodie des Herzens* (Hundt-Verlag, Hattingen-Ruhr, 1951).

A. Haushofer: *Moabiter Sonette* (Lothar Blanvalet Verlag, Berlin, 1946).

M. Herrmann-Neiße: *Um uns die Fremde* (Verlag Oprecht, Zürich, 1936).

H. Hesse: *Gesammelte Dichtungen* (Suhrkamp Verlag, Frankfurt am Main, 1952).

G. Heym: *Die Dichtungen* (Kurt Wolff Verlag, München, 1922).

—— *Gesammelte Gedichte* (Verlag der Arche, Zürich, 1947).

W. Höllerer: *Der andere Gast* (Carl Hanser Verlag, München, 1953).

A. Holgersen: *Sursum corda* (Paul Zsolnay Verlag, Wien, 1949).

H. E. Holthusen: *Hier in der Zeit* (R. Piper Verlag, München, 1949).

—— *Labyrinthische Jahre* (R. Piper Verlag, München, 1952).

P. Huchel: *Gedichte* (Aufbau-Verlag, Berlin, 1948).

F. G. Jünger: *Gedichte* (Vittorio Klostermann, Frankfurt am Main, 1949).

E. Kästner: *Bei Durchsicht meiner Bücher* (Atrium Verlag, Zürich, 1946).

G. Kolmar: *Das lyrische Werk* (Verlag Lambert Schneider, Heidelberg, 1955).

K. Krolow: *Gedichte* (Südverlag, Konstanz, 1948).

—— *Die Zeichen der Welt* (Deutsche Verlags-Anstalt, Stuttgart, 1952).

——*Wind und Zeit* (Deutsche Verlags-Anstalt, Stuttgart, 1954).

E. Langgässer: *Der Laubmann und die Rose* (Claassen und Goverts Verlag, Hamburg, 1947).

E. Lasker-Schüler: *Dichtungen und Dokumente* (Kösel-Verlag, München, 1951).

C. Lavant: *Die Bettlerschale* (Otto Müller Verlag, Salzburg, 1956).

W. Lehmann: *Entzückter Staub* (Verlag Lambert Schneider, Heidelberg, 1946).

—— *Antwort des Schweigens* (Heliopolis-Verlag, Tübingen, 1951).

O. zur Linde: *Charon* (R. Piper Verlag, München, 1952).

O. Loerke: *Gedichte* (S. Fischer Verlag, Frankfurt am Main, 1954).

M. Mell: *Gedichte* (Insel-Verlag, Wiesbaden, 1952).

E. Mitterer: *Gesammelte Gedichte* (Luckmann-Verlag, Wien, 1956).

B. von Münchhausen: *Das Liederbuch* (Deutsche Verlags-Anstalt, Stuttgart, 1953).

—— *Das Balladenbuch* (Deutsche Verlags-Anstalt, Stuttgart, 1951).

H. Piontek: *Die Rauchfahne* (Bechtle Verlag, Eßlingen am Neckar, 1956).

F. Schnack: *Die Lebensjahre* (Kösel-Verlag, München, 1951).

R. Schneider: *Die letzten Tage* (Verlag der Arche, Zürich, 1945).

W. von Scholz: *Die ausgewählten Gedichte* (C. Bertelsmann Verlag, Gütersloh, 1953).

R. A. Schröder: *Gesammelte Werke. Die Gedichte* (Suhrkamp Verlag, Frankfurt am Main, 1952).

E. Stadler: *Dichtungen* (Verlag Heinrich Ellermann, Hamburg, 1954).

L. von Strauß und Torney: *Reif steht die Saat* (Eugen Diederichs Verlag, Düsseldorf and Köln, 1926).

G. Trakl: *Die Dichtungen* (Kurt Wolff Verlag, Leipzig, 1917).
—— *Die Dichtungen* (Otto Müller Verlag, Salzburg, 7te Auflage, 1952).
J. Weinheber: *Sämtliche Werke* (Otto Müller Verlag, Salzburg, 1953–6).
K. Weiß: *Gedichte* (Kösel-Verlag, München, 1948–9).
F. Werfel: *Gedichte* (Paul Zsolnay Verlag, Wien, 1927).
—— *Gedichte aus den Jahren 1908–45* (S. Fischer Verlag, Frankfurt am Main, 1953).
A. Wildgans: *Sämtliche Werke. Gedichte* (Bellaria-Verlag, Wien and Verlag Anton Pustet, *now* Verlag Styria, Graz, 1948).
C. Zuckmayer: *Gedichte 1916–1948* (Suhrkamp Verlag, Frankfurt am Main, 1948).

DETLEV VON LILIENCRON

1844–1909

Wer weiß wo

Schlacht bei Kolin, 18. Juni 1757

AUF Blut und Leichen, Schutt und Qualm,
Auf roßzerstampften Sommerhalm
Die Sonne schien.
Es sank die Nacht. Die Schlacht ist aus,
Und mancher kehrte nicht nach Haus
Einst von Kolin.

Ein Junker auch, ein Knabe noch,
Der heut das erste Pulver roch,
Er mußte dahin.
Wie hoch er auch die Fahne schwang,
Der Tod in seinen Arm ihn zwang,
Er mußte dahin.

Ihm nahe lag ein frommes Buch,
Das stets der Junker bei sich trug,
Am Degenknauf.
Ein Grenadier von Bevern fand
Den kleinen erdbeschmutzten Band
Und hob ihn auf.

Und brachte heim mit schnellem Fuß
Dem Vater diesen letzten Gruß,
Der klang nicht froh.
Dann schrieb hinein die Zitterhand:
„Kolin. Mein Sohn verscharrt im Sand.
Wer weiß wo."

Und der gesungen dieses Lied,
Und der es liest, im Leben zieht
Noch frisch und froh.
Doch einst bin ich, und bist auch du,
Verscharrt im Sand, zur ewigen Ruh,
Wer weiß wo.

Die Musik kommt

KLINGLING, bumbum und tschingdada,
Zieht im Triumph der Perserschah?
Und um die Ecke brausend brichts
Wie Tubaton des Weltgerichts,
    Voran der Schellenträger.

Brumbrum, das große Bombardon,
Der Beckenschlag, das Helikon,
Die Piccolo, der Zinkenist,
Die Türkentrommel, der Flötist,
    Und dann der Herre Hauptmann.

Der Hauptmann naht mit stolzem Sinn,
Die Schuppenketten unterm Kinn;
Die Schärpe schnürt den schlanken Leib,
Beim Zeus! das ist kein Zeitvertreib!
    Und dann die Herren Leutnants.

Zwei Leutnants, rosenrot und braun,
Die Fahne schützen sie als Zaun;
Die Fahne kommt, den Hut nimm ab,
Der bleiben treu wir bis ans Grab!
    Und dann die Grenadiere.

Der Grenadier im strammen Tritt,
In Schritt und Tritt und Tritt und Schritt,

Das stampft und dröhnt und klappt und flirrt,
Laternenglas und Fenster klirrt.
    Und dann die kleinen Mädchen.

Die Mädchen alle, Kopf an Kopf,
Das Auge blau und blond der Zopf;
Aus Tür und Tor und Hof und Haus
Schaut Mine, Trine, Stine aus.
    Vorbei ist die Musike.

Klingling, tschingtsching und Paukenkrach,
Noch aus der Ferne tönt es schwach,
Ganz leise bumbumbumbum tsching;
Zog da ein bunter Schmetterling,
    Tschingtsching, bum, um die Ecke?

Bruder Liederlich

DIE Feder am Sturmhut in Spiel und Gefahren,
    Halli.
Nie lernt ich im Leben fasten noch sparen,
    Hallo.
    Der Dirne laß ich die Wege nicht frei;
    Wo Männer sich raufen, da bin ich dabei,
    Und wo sie saufen, da sauf ich für drei.
    Halli und Hallo.

Verdammt, es blieb mir ein Mädchen hängen,
    Halli.
Ich kann sie mir nicht aus dem Herzen zwängen,
    Hallo.
    Ich glaube, sie war erst siebzehn Jahr,
    Trug rote Bänder im schwarzen Haar,
    Und plauderte wie der lustigste Star.
    Halli und Hallo.

3

Was hatte das Mädel zwei frische Backen,
      Halli.
Krach, konnten die Zähne die Haselnuß knacken,
      Hallo.
    Sie hat mir das Zimmer mit Blumen geschmückt,
    Die wir auf heimlichen Wegen gepflückt;
    Wie hab ich dafür ans Herz sie gedrückt!
      Halli und Hallo.

Ich schenkt ihr ein Kleidchen von gelber Seiden,
      Halli.
Sie sagte, sie möcht mich unsäglich gern leiden,
      Hallo.
    Und als ich die Taschen ihr vollgesteckt
    Mit Pralinés, Feigen und feinem Konfekt,
    Da hat sie von morgens bis abends geschleckt.
      Halli und Hallo.

Wir haben süperb uns die Zeit vertrieben,
      Halli.
Ich wollte, wir wären zusammen geblieben,
      Hallo.
    Doch wurde die Sache mir stark ennuyant;
    Ich sagt ihr, daß mich die Regierung ernannt,
    Kamele zu kaufen in Samarkand.
      Halli und Hallo.

Und als ich zum Abschied die Hand gab der Kleinen,
      Halli,
Da fing sie bitterlich an zu weinen,
      Hallo.
    Was denk ich just heut ohn Unterlaß,
    Daß ich ihr so rauh gab den Reisepaß . . .
    Wein her, zum Henker, und da liegt Trumpf Aß!
      Halli und Hallo.

In einer großen Stadt

Es treibt vorüber mir im Meer der Stadt
Bald der, bald jener, einer nach dem andern.
Ein Blick ins Auge, und vorüber schon.
    Der Orgeldreher dreht sein Lied.

Es tropft vorüber mir ins Meer des Nichts
Bald der, bald jener, einer nach dem andern.
Ein Blick auf seinen Sarg, vorüber schon.
    Der Orgeldreher dreht sein Lied.

Es schwimmt ein Leichenzug im Meer der Stadt,
Querweg die Menschen, einer nach dem andern.
Ein Blick auf meinen Sarg, vorüber schon.
    Der Orgeldreher dreht sein Lied.

Viererzug

VORNE vier nickende Pferdeköpfe,
Neben mir zwei blonde Mädchenzöpfe,
Hinten der Groom mit wichtigen Mienen,
An den Rädern Gebell.

In den Dörfern windstillen Lebens Genüge,
Auf den Feldern fleißige Spaten und Pflüge,
Alles das von der Sonne beschienen
So hell, so hell.

FRIEDRICH NIETZSCHE
1844–1900

Vereinsamt

DIE Krähen schrei'n
und ziehen schwirren Flugs zur Stadt:
bald wird es schnei'n, —
wohl dem, der jetzt noch — Heimat hat!

Nun stehst du starr,
schaust rückwärts, ach! wie lange schon!
Was bist du Narr
vor Winters in die Welt entflohn?

Die Welt — ein Tor
zu tausend Wüsten stumm und kalt!
Wer das verlor,
was du verlorst, macht nirgends Halt.

Nun stehst du bleich,
zur Winter-Wanderschaft verflucht,
dem Rauche gleich,
der stets nach kältern Himmeln sucht.

Flieg', Vogel, schnarr'
dein Lied im Wüstenvogel-Ton! —
Versteck', du Narr,
dein blutend Herz in Eis und Hohn!

Die Krähen schrei'n
und ziehen schwirren Flugs zur Stadt:
bald wird es schnei'n, —
weh dem, der keine Heimat hat!

Venedig

AN der Brücke stand
jüngst ich in brauner Nacht.
Fernher kam Gesang:
goldener Tropfen quoll's
über die zitternde Fläche weg.
Gondeln, Lichter, Musik —
trunken schwamm's in die Dämm'rung hinaus ...

Meine Seele, ein Saitenspiel,
sang sich, unsichtbar berührt,
heimlich ein Gondellied dazu,
zitternd vor bunter Seligkeit.
— Hörte jemand ihr zu? ...

Das trunkene Lied

OH Mensch! Gib acht!
Was spricht die tiefe Mitternacht?
„Ich schlief, ich schlief —,
Aus tiefem Traum bin ich erwacht: —
Die Welt ist tief,
Und tiefer als der Tag gedacht.
Tief ist ihr Weh —,
Lust — tiefer noch als Herzeleid:
Weh spricht: Vergeh!
Doch alle Lust will Ewigkeit —,
— will tiefe, tiefe Ewigkeit!"

RICHARD DEHMEL

1863–1920

Lied an meinen Sohn

DER Sturm behorcht mein Vaterhaus,
mein Herz klopft in die Nacht hinaus,
laut; so erwacht ich vom Gebraus
des Forstes schon als Kind.
Mein junger Sohn, hör zu, hör zu:
in deine ferne Wiegenruh
stöhnt meine Worte dir im Traum der Wind.

Einst hab ich auch im Schlaf gelacht,
mein Sohn, und bin nicht aufgewacht
vom Sturm; bis eine graue Nacht
wie heute kam.
Dumpf brandet heut im Forst der Föhn,
wie damals, als ich sein Getön
vor Furcht wie meines Vaters Wort vernahm.

Horch, wie der knospige Wipfelsaum
sich sträubt, sich beugt, von Baum zu Baum;
mein Sohn, in deinen Wiegentraum
zornlacht der Sturm — hör zu, hör zu!
Er hat sich nie vor Furcht gebeugt!
horch, wie er durch die Kronen keucht:
sei *Du*! sei *Du*! —

Und wenn dir einst von Sohnespflicht,
mein Sohn, dein alter Vater spricht,
gehorch ihm nicht, gehorch ihm nicht:
horch, wie der Föhn im Forst den Frühling braut!
Horch, er bestürmt mein Vaterhaus,
mein Herz tönt in die Nacht hinaus,
laut — —

Die Magd

MAIBLUMEN blühten überall;
er sah mich an so trüb und müd.
Im Faulbaum rief die Nachtigall:
die Blüte flieht! die Blüte flieht!
Von Düften war die Nacht so warm,
wie Blut so warm, wie unser Blut;
und wir so jung und freudenarm.
Und über uns im Busch das Lied,
das schluchzende Lied: die Glut verglüht!
Und er so treu und mir so gut.

In Knospen schoß der wilde Mohn,
es sog die Sonne unsern Schweiß.
Es wurden rot die Knospen schon,
da wurden meine Wangen weiß.
Ums liebe Brot, ums teure Brot
floß doppelt heiß ins Korn sein Schweiß.
Der wilde Mohn stand feuerrot;
es war wohl fressendes Gift der Schweiß,
auch seine Wangen wurden weiß,
und die Sonne stach im Korn ihn tot.

Die Astern schwankten blaß am Zaun
im feuchten Wind; die Traube schwoll.
Am Hoftor zischelten die Fraun;
der Apfelbaum hing schwer und voll.
Es war ein Tag so regensatt,
wie einst sein Blick so trüb und matt;
die Astern standen braun und naß,
naß Strauch und Kraut, der Nebel troff,
da stieß man sie voll Hohn und Haß,
die sündige Magd, hinaus vom Hof.

Nun blüht von Eis der kahle Hain,
die Träne friert im schneidenden Wind.

Aus flimmernden Scheiben glüht der Schein
des Christbaums auf mein wimmernd Kind.
Die hungernden Spatzen schrein und schrein,
von Dach zu Dach; die Krähe krächzt.
An meinen schlaffen Brüsten ächzt
mein Kind, und Keiner läßt uns ein.
Wie die Worte der Reichen so scharf und weh
knirscht unter mir der harte Schnee.

So weh, oh, bohrt es mir im Ohr:
du Kind der Schmach! du Sündenlohn!
Und dennoch beten sie empor
zum Sohn der Magd, dem Jungfraunsohn?!
Oh, brennt mein Blut. Was tat denn Ich?
wars Sünde *nicht*, daß *sie* gebar? —
Mein Kind, mein Heiland, weine nicht:
ein Bett für dich, dein Blut für mich,
vom Himmel rieselt's silberklar.
Wie träumt es sich so süß im Schnee.
Was tat ich denn? — So süß. So weh.
Wars Liebe nicht? — Wars — Liebe — nicht —

Der Arbeitsmann

WIR haben ein Bett, wir haben ein Kind,
　　mein Weib!
Wir haben auch Arbeit, und gar zu zweit,
und haben die Sonne und Regen und Wind.
Und uns fehlt nur eine Kleinigkeit,
um so frei zu sein, wie die Vögel sind:
　　Nur Zeit.

Wenn wir Sonntags durch die Felder gehn,
　　mein Kind,
und über den Ähren weit und breit

das blaue Schwalbenvolk blitzen sehn,
oh, dann fehlt uns nicht das bißchen Kleid,
um so schön zu sein, wie die Vögel sind:
    Nur Zeit.

Nur Zeit! wir wittern Gewitterwind,
    wir Volk.
Nur eine kleine Ewigkeit;
uns fehlt ja nichts, mein Weib, mein Kind,
als all das, was durch uns gedeiht,
um so kühn zu sein, wie die Vögel sind.
    Nur Zeit!

Erntelied

Es steht ein goldnes Garbenfeld,
das geht bis an den Rand der Welt.
    Mahle, Mühle, mahle!

Es stockt der Wind im weiten Land,
viel Mühlen stehn am Himmelsrand.
    Mahle, Mühle, mahle!

Es kommt ein dunkles Abendrot,
viel arme Leute schrein nach Brot.
    Mahle, Mühle, mahle!

Es hält die Nacht den Sturm im Schoß,
und morgen geht die Arbeit los.
    Mahle, Mühle, mahle!

Es fegt der Sturm die Felder rein,
es wird kein Mensch mehr Hunger schrein.
    Mahle, Mühle, mahle!

Stromüber

DER Abend war so dunkelschwer,
und schwer durchs Dunkel schnitt der Kahn;
die Andern lachten um uns her,
als fühlten sie den Frühling nahn.

Der weite Strom lag stumm und fahl,
am Ufer floß ein schwankend Licht,
die Weiden standen starr und kahl.
Ich aber sah dir ins Gesicht

und fühlte deinen Atem flehn
und deine Augen nach mir schrein
und — eine Andre vor mir stehn
und heiß aufschluchzen: Ich bin dein!

Das Licht erglänzte nah und mild;
im grauen Wasser, schwarz, verschwand
der starren Weiden zitternd Bild.
Und knirschend stieß der Kahn ans Land.

Stimme des Abends

DIE Flur will ruhn.
In Halmen, Zweigen
ein leises Neigen.
Dir ist, als hörst du
die Nebel steigen.
Du horchst — und nun:
dir wird, als störst du
mit deinen Schuhn
ihr Schweigen.

Manche Nacht

WENN die Felder sich verdunkeln,
fühl ich, wird mein Auge heller;
schon versucht ein Stern zu funkeln,
und die Grillen wispern schneller.

Jeder Laut wird bilderreicher,
das Gewohnte sonderbarer,
hinterm Wald der Himmel bleicher,
jeder Wipfel hebt sich klarer.

Und du merkst es nicht im Schreiten,
wie das Licht verhundertfältigt
sich entringt den Dunkelheiten.
Plötzlich stehst du überwältigt.

Helle Nacht

WEICH küßt die Zweige
der weiße Mond.
Ein Flüstern wohnt
im Laub, als neige,
als schweige sich der Hain zur Ruh':
Geliebte du —

Der Weiher ruht, und
die Weide schimmert.
Ihr Schatten flimmert
in seiner Flut, und
der Wind weint in den Bäumen:
wir träumen — träumen —

Die Weiten leuchten
Beruhigung.
Die Niederung

hebt bleich den feuchten
Schleier hin zum Himmelssaum:
o hin — o Traum — —

ARNO HOLZ

1863–1929

Nachtstück

LÄNGST fiel von den Bäumen
das letzte Blatt,
in Schlaf und Träumen
liegt nun die Stadt;
die Fenster verdunkeln
sich Haus an Haus
und drüberhin funkeln
die Sterne sich aus;
kalt weht es vom Strom her,
der Eisgang kracht,
und drüben vom Dom her
dröhnt's Mitternacht.
Ich aber schleppe mich zitternd nach Haus —
der Nordwind bläst die Laternen aus!

Was half's, daß ich klagend
die Gassen durchlief
und mitleidverzagend
„Hier Rosen!" ausrief?
„Hier Rosen, o Rosen!
Wer kauft einen Strauß?"
Doch die Herren Studiosen
lachten mich aus!
Und keiner, keiner . . .
Daß Gott erbarm!

14

O unsereiner
ist gar zu arm!
Mir wanken die Knie, mein Herzblut gerinnt —
o Gott, mein Kind, mein armes Kind!

In stockdunkler Kammer,
verhungert, vertiert!
Schon packt mich der Jammer:
„Ach Muttchen, mich friert!
Ach bitte, bitte
ein Stückchen Brot!"
Mir ist es, als litte
ich gleich den Tod!
Mir ist es, als müßte
ich schreien: „Fluch!" —
O daß ich dich küßte
durchs Leichentuch!
Dann wär es vorbei und sie scharrten dich ein
und ich trüg es allein, o Gott, allein!

An die „obern Zehntausend"

UND wieder rollt nun sterbend ein Jahrhundert
dem Abgrund zu, drin uns die Zeit verschlingt,
und ihr seid immer noch nicht abgeplundert,
nicht hinter die Kulissen abgehinkt?

Wollt euch nicht länger freventlich vermessen,
denn euer Lebensnerv ist abgestumpft,
denn eure Kronen sind von Rost zerfressen
und eure Stammbaumwälder sind versumpft!

Ein *neu* Geschlecht, schon wetzt es seine Schwerter,
schon webt die Sonne ihm den Glorienschein,
und glaubt: Es wird kein veilchenblauer Werther,
es wird ein blutiger Messias sein!

SCHÖNES, grünes, weiches
Gras.

Drin
liege ich.

Inmitten goldgelber Butterblumen!

Über mir,
warm,
der Himmel:

Ein
weites, schütteres,
lichtwühlig, lichtwogig,
lichtblendig
zitterndes Weiß,
das mir die Augen langsam, ganz langsam
schließt.

Wehende . . . Luft, kaum . . . merklich ein Duft,
ein
zartes . . . Summen.

Nun
bin ich fern
von jeder Welt,
ein sanftes Rot erfüllt mich ganz,
und
deutlich . . . spüre ich . . . wie die Sonne
mir
durchs Blut rinnt.

Minutenlang.

Versunken alles. Nur noch ich.

Selig!

In einem Garten, unter alten Bäumen,
auf
dunkler Moosbank, Hand in Hand,
sinnend, schweigend,
zwiesam,
erwarten wir
die Frühlingsnacht.

Noch
glänzt kein Stern.

Die
Büsche verdämmern.

Plötzlich,
aus einem Fenster,
leise,
getragen, schwellend,
die
tiefen, reinen, perlend feinen,
steigend ringenden,
sehnend schwingenden, selig singenden,
flutenden, glutenden,
goldglitzernden,
silbersanften, silberlichten, silbersüßen
Schmelztöne einer Geige.

Der Goldregen blinkt . . . der Flieder duftet,
in
unseren Herzen,
traumhold, traumrot, traumgroß,
geht
der Mond auf!

RICARDA HUCH

1864–1947

Die Nonne

SIEBEN Ringe, sieben schwere Ringe
Sind als Fesseln um mein Herz geschweißt,
Und darunter zuckt es, wühlt und reißt,
Daß das Band zerspringe.

Wie ein Netz von Eisen wiegt der Schleier,
Der von meinem Haupte niederwallt.
Ach, ich wollte, ihn zerrisse bald
Der ersehnte Freier.

Tröstet andre mit Verheißungsworten,
Ich erwarte keinen Himmel mehr.
Schein, wie wir, ist auch der Engel Heer
Vor den sel'gen Pforten.

Diese Erde gibt mir Lust und Leiden.
Laßt mich gehn auf meines Schicksals Spur;
Meinen schmerzlich schönen Anteil nur
Will ich an den beiden.

Aus dem Quell der Liebe will ich saugen;
Meinen Durst löscht keine andre Flut.
Lodern will ich, wie die Flamme tut
In des Freundes Augen.

Meine Sehnsucht mattet sich vergebens,
Doch sie wächst und wächst, eh' daß sie stirbt.
Wachsen soll sie, bis sie jäh erwirbt
Einen Tag des Lebens.

Einen Tag, den letzten und den ersten:
Wenn, von Liebe qualvoll überfüllt,
So mein Herz in seinem Drange schwillt,
Daß die Ringe bersten.

Todesahnung

WENN ich heute in den Garten trete,
Seh' ich fern des Kirchturms graues Haupt;
Blätterschmuck, der sonst den Blick geraubt,
Deckt die letzten Astern auf dem Beete.

Wildes Flattern, träumerisches Wallen!
Zögernd läßt das Blatt vom Stamme ab,
Sinkt so ungern in des Winters Grab;
Doch der Nordwind heult: sie sind verfallen.

Nicht so schnell, ihr Blätter, von den Bäumen
Fallt, ihr fallt zu meines Herzens Qual;
Seh' ich doch zum allerletzten Mal,
Wie die bleichen Pfade bunt sich säumen.

Ihr vielleicht, verscharrt am Wegesrande,
Seht im andern Herbste, übers Jahr,
Eine neuentsproßne Blätterschar
Niederfallen und verwehn im Sande.

Sehnsucht

UM bei dir zu sein,
Trüg' ich Not und Fährde,
Ließ' ich Freund und Haus
Und die Fülle der Erde.

Mich verlangt nach dir,
Wie die Flut nach dem Strande,
Wie die Schwalbe im Herbst
Nach dem südlichen Lande.

Wie den Alpsohn heim,
Wenn er denkt, nachts alleine,
An die Berge voll Schnee
Im Mondenscheine.

Erinnerung

EINMAL vor manchem Jahre
War ich ein Baum am Bergesrand,
Und meine Birkenhaare
Kämmte der Mond mit weißer Hand.

Hoch überm Abgrund hing ich
Windebewegt auf schroffem Stein,
Tanzende Wolken fing ich
Mir als vergänglich Spielzeug ein.

Fühlte nichts im Gemüte
Weder von Wonne noch von Leid,
Rauschte, verwelkte, blühte;
In meinem Schatten schlief die Zeit.

Tief in den Himmel verklingt

TIEF in den Himmel verklingt
Traurig der letzte Stern,
Noch eine Nachtigall singt
Fern, — fern.
Geh schlafen, mein Herz, es ist Zeit.
Kühl weht die Ewigkeit.

Matt im Schoß liegt die Hand,
Einst so tapfer am Schwert.
War, wofür du entbrannt,
Kampfes wert?
Geh schlafen, mein Herz, es ist Zeit.
Kühl weht die Ewigkeit.

RICHARD BEER-HOFMANN

1866–1945

Schlaflied für Mirjam

SCHLAF mein Kind — schlaf, es ist spät!
Sieh wie die Sonne zur Ruhe dort geht,
Hinter den Bergen stirbt sie im Rot.
Du — du weißt nichts von Sonne und Tod,
Wendest die Augen zum Licht und zum Schein —
Schlaf, es sind soviel Sonnen noch dein,
Schlaf mein Kind — mein Kind, schlaf ein!

Schlaf mein Kind — der Abendwind weht.
Weiß man, woher er kommt, wohin er geht?
Dunkel, verborgen die Wege hier sind,
Dir, und auch mir, und uns allen, mein Kind!
Blinde — so gehn wir und gehen allein,
Keiner kann Keinem Gefährte hier sein —
Schlaf mein Kind — mein Kind, schlaf ein!

Schlaf mein Kind und horch nicht auf mich!
Sinn hat's für mich nur, und Schall ist's für dich.
Schall nur, wie Windeswehn, Wassergerinn,
Worte — vielleicht eines Lebens Gewinn!
Was ich gewonnen gräbt *mit* mir man ein,
Keiner kann Keinem ein Erbe hier sein —
Schlaf mein Kind — mein Kind, schlaf ein!

Schläfst du, Mirjam? — Mirjam, mein Kind,
Ufer nur sind wir, und tief in uns rinnt
Blut von Gewesenen — zu Kommenden rollt's,
Blut unsrer Väter, voll Unruh und Stolz.
In uns sind *Alle*. Wer fühlt sich allein?
Du bist ihr Leben — ihr Leben ist dein — —
Mirjam, mein Leben, mein Kind — schlaf ein!

Gespräch mit dem Tod

NICHTS um mich klingt. — Ich höre keinen Ton
von deiner Geige lockend um mich werben
zum letzten Tanz, der mich entführt davon.

Spielst du dem Leben nur? und läßt das Sterben
den Tod verstummen? — Freund, ich wüßte kaum,
daß du mir nah, wär nicht ein leis Verfärben

im Umkreis meines Blicks, ein duftiger Flaum,
der alle Dinge schattig überkleidet. —
Da schreck ich auf — und weiß, es ist kein Traum,

und höre unten einen, der vorüber reitet
mit dumpfem Schlag, und hör mit dumpfem Schlag
ein Trommelwirbeln rufen, daß es zeitet

und daß es auszuziehen gilt vor Tag.
Du brauchst nicht aufzuspielen, Werber! Nur
mein Herz mit dumpfen Schlägen, Schlag um Schlag,

ist mein Tambour, o Tod, ist mein Tambour.

Frau im Juwelenladen

EINE schöne Fraue sah ich fischen
lustvoll in den Ringen auf den Tischen
eines Juweliers.

Jung und wohlig spreizten sich die schlanken,
schlossen dehnten krallten sich die Pranken
eines schönen Tiers.

Und ich sah geruhig aus dem Dunkel
in das schöne Leib- und Steingefunkel,
das sich hier erhob —

Da: ein Augenblitz der sich verirrte
jäh mit einem der hinüberschwirrte
sich zusammenwob.

Leise traten ungesagte Dinge
in den Raum zu ihr und an die Ringe
und zu mir heran,

traten nahe, halb Zudringlichkeiten
halb verschämte Unbezwinglichkeiten,
und sie stand im Bann.

Aufgescheucht aus wundervoller Tierheit
starb sie aus dem Feuer der Saphire
wie aus Gras der Tau

und es spielte lässig in den Ringen
wie in toten abgesagten Dingen
eine schöne Frau.

MAX DAUTHENDEY

1867–1918

Die Scharen von mächtigen Raben

Es fliegen im Abend tief über die Ähren
Die Scharen von mächtigen Raben,
Wie Geheimnisse lautlos, die sich begraben,
Wie Gedanken, die sich im Zwielicht mehren.

Und es hängen die Ähren zum Straßengraben,
Als ob sie Sehnsucht nach Menschen haben.
Es steht noch ein Mäher im Klee, im dunkeln;
Du hörst nicht die Sense, du siehst nur ein Funkeln.

Es huscht noch ein Vogel schnell in die Hecke,
Die Feldwege schlängeln sich hinter Verstecke,
Die Raben kreisen und machen Runden,
Tauchen unter und sind in der Erde verschwunden.

O Grille, sing

O GRILLE, sing,
Die Nacht ist lang.
Ich weiß nicht, ob ich leben darf
Bis an das End' von deinem Sang.

Die Fenster stehen aufgemacht.
Ich weiß nicht, ob ich schauen darf
Bis an das End' von dieser Nacht.

O Grille, sing, sing unbedacht,
Die Lust geht hin,
Und Leid erwacht.
Und Lust im Leid, —
Mehr bringt sie nicht, die lange Nacht.

STEFAN GEORGE

1868–1933

MEIN garten bedarf nicht luft und nicht wärme·
Der garten den ich mir selber erbaut
Und seiner vögel leblose schwärme
Haben noch nie einen frühling geschaut.

Von kohle die stämme · von kohle die äste
Und düstere felder am düsteren rain·
Der früchte nimmer gebrochene läste
Glänzen wie lava im pinien-hain.

Ein grauer schein aus verborgener höhle
Verrät nicht wann morgen wann abend naht
Und staubige dünste der mandel-öle
Schweben auf beeten und anger und saat.

Wie zeug ich dich aber im heiligtume
— So fragt ich wenn ich es sinnend durchmass
In kühnen gespinsten der sorge vergass —
Dunkle grosse schwarze blume?

WENN um der zinnen kupferglühe hauben
Um alle giebel erst die sonne wallt
Und kühlung noch in höfen von basalt
Dann warten auf den kaiser seine tauben.

Er trägt ein kleid aus blauer Serer-seide
Mit sardern und saffiren übersät
In silberhülsen säumend aufgenäht·
Doch an den armen hat er kein geschmeide.

Er lächelte · sein weisser finger schenkte
Die hirsekörner aus dem goldnen trog·
Als leis ein Lyder aus den säulen bog
Und an des herren fuss die stirne senkte.

Die tauben flattern ängstig nach dem dache
„Ich sterbe gern weil mein gebieter schrak“
Ein breiter dolch ihm schon im busen stak·
Mit grünem flure spielt die rote lache.

Der kaiser wich mit höhnender gebärde..
Worauf er doch am selben tag befal
Dass in den abendlichen weinpokal
Des knechtes name eingegraben werde.

Vogelschau

WEISSE schwalben sah ich fliegen·
Schwalben schnee- und silberweiss·
Sah sie sich im winde wiegen·
In dem winde hell und heiss.

Bunte häher sah ich hüpfen·
Papagei und kolibri
Durch die wunder-bäume schlüpfen
In dem wald der Tusferi.

Grosse raben sah ich flattern·
Dohlen schwarz und dunkelgrau
Nah am grunde über nattern
Im verzauberten gehau.

Schwalben seh ich wieder fliegen·
Schnee- und silberweisse schar·
Wie sie sich im winde wiegen
In dem winde kalt und klar!

LILIE der auen!
Herrin im rosenhag!
Gib dass ich mich freue·
Dass ich mich erneue
An deinem gnadenreichen krönungstag.

Mutter du vom licht·
Milde frau der frauen·
Weise deine güte
Kindlichem gemüte
Das mit geäst und moos dein bild umflicht.

Frau vom guten rat!
Wenn ich voll vertrauen
Wenn ich ohne sünde
Deine macht verkünde:
Schenkst du mir worum ich lange bat?

Wir schreiten auf und ab im reichen flitter
Des buchenganges beinah bis zum tore
Und sehen aussen in dem feld vom gitter
Den mandelbaum zum zweitenmal im flore.

Wir suchen nach den schattenfreien bänken
Dort wo uns niemals fremde stimmen scheuchten·
In träumen unsre arme sich verschränken·
Wir laben uns am langen milden leuchten

Wir fühlen dankbar wie zu leisem brausen
Von wipfeln strahlenspuren auf uns tropfen
Und blicken nur und horchen wenn in pausen
Die reifen früchte an den boden klopfen.

Im freien viereck mit den gelben steinen
In dessen mitte sich die brunnen regen
Willst du noch flüchtig späte rede pflegen
Da heut dir hell wie nie die sterne scheinen.

Doch tritt von dem basaltenen behälter!
Er winkt die toten zweige zu bestatten·
Im vollen mondenlichte weht es kälter
Als drüben unter jener föhren schatten . .

Ich lasse meine grosse traurigkeit
Dich falsch erraten um dich zu verschonen·
Ich fühle hat die zeit uns kaum entzweit
So wirst du meinen traum nicht mehr bewohnen.

Doch wenn erst unterm schnee der park entschlief
So glaub ich dass noch leiser trost entquille
Aus manchen schönen resten — strauss und brief —
In tiefer kalter winterlicher stille.

Die blume die ich mir am fenster hege
Verwahrt vorm froste in der grauen scherbe
Betrübt mich nur trotz meiner guten pflege
Und hängt das haupt als ob sie langsam sterbe.

Um ihrer frühern blühenden geschicke
Erinnerung aus meinem sinn zu merzen
Erwähl ich scharfe waffen und ich knicke
Die blasse blume mit dem kranken herzen.

Was soll sie nur zur bitternis mir taugen?
Ich wünschte dass vom fenster sie verschwände . .
Nun heb ich wieder meine leeren augen
Und in die leere nacht die leeren hände.

DES sehers wort ist wenigen gemeinsam:
Schon als die ersten kühnen wünsche kamen
In einem seltnen reiche ernst und einsam
Erfand er für die dinge eigne namen —

Die hier erdonnerten von ungeheuern
Befehlen oder lispelten wie bitten·
Die wie Paktolen in rubinenfeuern
Und bald wie linde frühlingsbäche glitten·

An deren kraft und klang er sich ergezte·
Sie waren wenn er sich im höchsten schwunge
Der welt entfliehend unter träume sezte
Des tempels saitenspiel und heilge zunge.

Nur sie — und nicht der sanften lehre lallen·
Das mütterliche — hat er sich erlesen
Als er im rausch von mai und nachtigallen
Sann über erster sehnsucht fabelwesen·

Als er zum lenker seiner lebensfrühe
Im beten rief ob die verheissung löge . .
Erflehend dass aus zagen busens mühe
Das denkbild sich zur sonne heben möge.

ICH weiss du trittst zu mir ins haus
Wie jemand der an leid gewöhnt
Nicht froh ist wo zu spiel und schmaus
Die saite zwischen säulen dröhnt.

Hier schreitet man nicht laut nicht oft·
Durchs fenster dringt der herbstgeruch
Hier wird ein trost dem der nicht hofft
Und bangem frager milder spruch.

Beim eintritt leis ein händedruck·
Beim weiterzug vom stillen heim
Ein kuss — und ein bescheidner schmuck
Als gastgeschenk: ein zarter reim.

NICHT ist weise bis zur lezten frist
Zu geniessen wo vergängnis ist.
Vögel flogen südwärts an die see·
Blumen welkend warten auf den schnee.

Wie dein finger scheu die müden flicht!
Andre blumen schenkt dies jahr uns nicht·
Keine bitte riefe sie herbei·
Andre bringt vielleicht uns einst ein mai.

Löse meinen arm und bleibe stark·
Lass mit mir vorm scheidestrahl den park
Eh vom berg der nebel drüber fleucht·
Schwinden wir eh winter uns verscheucht!

ICH bin freund und führer dir und ferge.
Nicht mehr mitzustreiten ziemt dir nun
Auch nicht mit den Weisen · hoch vom berge
Sollst du schaun wie sie im tale tun.

Weite menge siehst du rüstig traben
Laut ist ihr sich mühendes gewimmel:
Forscht die dinge nützet ihre gaben
Und ihr habt die welt als freudenhimmel.

Drüben schwärme folgen ernst im qualme
Einem bleichen mann auf weissem pferde
Mit verhaltnen gluten in dem psalme:
Kreuz du bleibst noch lang das licht der erde.

Eine kleine schar zieht stille bahnen
Stolz entfernt vom wirkenden getriebe
Und als losung steht auf ihren fahnen:
Hellas ewig unsre liebe.

Die fremde

SIE kam allein aus fernen gauen
Ihr haus umging das volk mit grauen
Sie sott und buk und sagte wahr
Sie sang im mond mit offenem haar.

Am kirchtag trug sie bunten staat
Damit sie oft zur luke trat . .
Dann ward ihr lächeln süss und herb
Gatten und brüdern zum verderb.

Und übers jahr als sie im dunkel
Einst attich suchte und ranunkel
Da sah man wie sie sank im torf —
Und andere schwuren dass vorm dorf

Sie auf dem mitten weg verschwand . .
Sie liess das knäblein nur als pfand
So schwarz wie nacht so bleich wie lein
Das sie gebar im hornungschein.

Leo XIII

HEUT da sich schranzen auf den thronen brüsten
Mit wechslermienen und unedlem klirren:
Dreht unser geist begierig nach verehrung
Und schauernd vor der wahren majestät
Zum ernsten väterlichen angesicht
Des Dreigekrönten wirklichen Gesalbten
Der hundertjährig von der ewigen burg
Hinabsieht: schatten schön erfüllten daseins.

Nach seinem sorgenwerk für alle welten
Freut ihn sein rebengarten: freundlich greifen
In volle trauben seine weissen hände·
Sein mahl ist brot und wein und leichte malve
Und seine schlummerlosen nächte füllt
Kein wahn der ehrsucht · denn er sinnt auf hymnen
An die holdselige Frau · der schöpfung wonne·
Und an ihr strahlendes allmächtiges kind.

„Komm heiliger knabe! hilf der welt die birst
Dass sie nicht elend falle! einziger retter!
In deinem schutze blühe mildre zeit
Die rein aus diesen freveln sich erhebe . .
Es kehre lang erwünschter friede heim
Und brüderliche bande schlinge liebe!"
So singt der dichter und der seher weiss:
Das neue heil kommt nur aus neuer liebe.

Wenn angetan mit allen würdezeichen
Getragen mit dem baldachin — ein vorbild
Erhabnen prunks und göttlicher verwaltung —
ER eingehüllt von weihrauch und von lichtern
Dem ganzen erdball seinen segen spendet:
So sinken wir als gläubige zu boden
Verschmolzen mit der tausendköpfigen menge
Die schön wird wenn das wunder sie ergreift.

CHRISTIAN MORGENSTERN

1871–1914

Vöglein Schwermut

EIN schwarzes Vöglein fliegt über die Welt,
das singt so todestraurig . . .
Wer es hört, der hört nichts anderes mehr,
wer es hört, der tut sich ein Leides an,
der mag keine Sonne mehr schauen.

Allmitternacht, Allmitternacht
ruht es sich aus auf dem Finger des Tods.
Der streichelt's leis und spricht ihm zu:
„Flieg, mein Vögelein! flieg, mein Vögelein!"
Und wieder fliegt's flötend über die Welt.

Zwei Elementarphantasien

Meeresbrandung

WARRRRRRRTE nur . . .
wie viel schon riß ich ab von dir
seit den Äonen unsres Kampfs —
    warrrrrrrte nur . . .
wie viele stolze Festen wird
mein Arm noch in die Tiefe ziehn —
    warrrrrrrte nur . . .
zurück und vor, zurück und vor —
und immer vor mehr denn zurück —
    warrrrrrrte nur . . .
und heute mild und morgen wild —
doch nimmer schwach und immer wach —
    warrrrrrrte nur . . .
umsonst dein Dämmen, Rammen, Baun
dein Wehr zerfällt, ich habe Zeit —
    warrrrrrrte nur . . .
wenn erst der Mensch dich nicht mehr schützt —
wer schützt, verloren Land, dich dann?
    warrrrrrrte nur . . .
mein Reich ist nicht von seiner Zeit:
er stirbt, ich aber werde sein —
    warrrrrrrte nur . . .
und will nicht ruhn, bis daß du ganz
in meinen Grund gerissen bist —
    warrrrrrrte nur . . .

bis deiner höchsten Firnen Schnee
von meinem Salz zerfressen schmilzt —
  warrrrrrrte nur . . .
und endlich nichts mehr ist als Ich
und Ich und Ich und Ich und Ich —
  warrrrrrrte nur . . .

Die Flamme

„So sterben zu müssen —
auf einer elenden Kerze!
Tatenlos, ruhmlos
im Atemchen
eines Menschleins
zu enden! . . .
Diese Kraft,
die ihr alle nicht kennt —
diese grenzenlose Kraft!
Ihr Nichtse! . . .
Komm doch näher,
du schlafender Kopf!
Schlummer,
der du ihn niederwarfst —
ruf doch dein Brüderlein Tod —
er soll ihn mir zuschieben —
den Lockenkopf —
ich will ihn haben — haben!
Sieh,
wie ich ihm entgegenhungre!
Ich renke mir alle Glieder
nach ihm aus . . .
Ein wenig noch näher —
näher —
ein wenig —
so —
jetzt vielleicht —

wenn's glückt —
ah! du Hund!
Er will erwachen?
still —
still —
so ist's noch besser!
Der Pelz am Mantel —
der Pelz — der Pelz —
hinüber — hinüber —
ah! faß ich dich — hab ich dich —
hab ich dich, Brüderchen —
Pelzbrüderchen, hab ich dich — ah!
Hilft dir nichts —
wehr dich nicht mehr!
Mein bist du jetzt —
Hand weg!
Wasser weg!
Mein bist du jetzt!
Wasssser weg!
Wart, da drüben ist
auch noch für mich —
so —
den Vorhang hinauf —
fängst mich nicht mehr —
Tuch — Tuch —
jetzt bin ich Herr!
Siehst du, jetzt breit ich mich
ganz gemächlich im Zimmer aus —
laß doch den Wasserkrug!
Laß doch das Hilfgeschrei!
Bis sie kommen,
bin ich schon längst
in den Betten und Schränken —
und dann könnt ihr nicht mehr herein —
und ich beiß in die Balken der Decke —
die dicken, langen, braunen Balken —

und steig in den Dachstuhl —
und vom einen Dachstuhl
zum andern Dachstuhl —
und irgendwo —
werd ich wohl Stroh finden
und Öl finden
und Pulver finden —
das wird eine Lust werden!
Das wird ein Fest werden!
Und wenn ich die Häuser alle zernichtet —
dann wollen wir mit Wäldern
die Fische in den Flüssen kochen —
und ich will euch hinauftreiben
auf die kältesten Berge —
und da droben
sollt auch ihr meine Opfer werden,
sollt ihr meine Todesfackeln werden —
und dann wird alles still sein —
und dann —"

Herbst

Zu Golde ward die Welt;
zu lange traf
der Sonne süßer Strahl
das Blatt, den Zweig.
Nun neig
dich, Welt, hinab
in Winterschlaf.

Bald sinkts von droben dir
in flockigen Geweben
verschleiernd zu —
und bringt dir Ruh,
o Welt,
o dir, zu Gold geliebtes Leben,
Ruh.

QUELLEN des Lebens fühl ich in mir springen,
Quellen alturalten Lebens,
Quellen des Lebens hör ich in mir singen:
„Nichts ist vergebens! Nichts ist vergebens!

Tief aus Chaos führt der Weg alles Strebens
hoch zu Gott in tausend Spiralenringen . . .
Gott selbst bist du auf Vogel-Phönix-Schwingen
ewig neuen zu dir selbst Erhebens.

Höher immer, bis zum Unfaßbaren,
lebst du dich die Leiter der Möglichkeiten —
bis du dein in deiner unendlichen Fülle

inne wirst, Herr dann der Gestirnheerscharen,
in dir, Welt-Ich, dann alle Räum' und Zeiten,
Ewigkeit allein dann noch deine Hülle!"

WIR alle sind die Erben dunkler Ahnen.
Was in uns spielt, was in uns treibt, wer weiß es,
wer kennt es, was Natur geheimen Fleißes
in uns gehäuft aus längst entschwundnen Bahnen.

Mit Taten und Gedanken hell am Tage —
so wandern wir, so sieht die Welt uns wandern, —
und sind vielleicht die Schlüssel nur zu andern;
und unser bleibt Verwundrung nur und Frage.

Föhn

Es tönt in uns so sonderbar,
die Saiten sind so straff gespannt,
so reif zum Platzen wie ein Haar.

Wir gehn und stehn wie leichtgebannt
von irgend einer fremden Macht,
noch unbewußt, noch unbekannt.

Es geht der Tag, es geht die Nacht,
am Morgen weint ein leis Gestöhn
ums Haus . . . Wildkatzensammetsacht

beschleicht das Tal der Feind, der Föhn.

Der Seufzer

EIN Seufzer lief Schlittschuh auf nächtlichem Eis
und träumte von Liebe und Freude.
Es war an dem Stadtwall, und schneeweiß
glänzten die Stadtwallgebäude.

Der Seufzer dacht an ein Maidelein
und blieb erglühend stehen.
Da schmolz die Eisbahn unter ihm ein —
und er sank — und ward nimmer gesehen.

Das aesthetische Wiesel

EIN Wiesel
saß auf einem Kiesel
inmitten Bachgeriesel.

Wißt ihr,
weshalb?

Das Mondkalb
verriet es mir
im Stillen:

Das raffinier-
te Tier
tats um des Reimes willen.

37

Der Werwolf

EIN Werwolf eines Nachts entwich
von Weib und Kind und sich begab
an eines Dorfschullehrers Grab
und bat ihn: „Bitte, beuge mich!"

Der Dorfschulmeister stieg hinauf
auf seines Blechschilds Messingknauf
und sprach zum Wolf, der seine Pfoten
geduldig kreuzte vor dem Toten:

„Der Werwolf", sprach der gute Mann,
„des Weswolfs, Genitiv sodann,
dem Wemwolf, Dativ, wie mans nennt,
den Wenwolf, — damit hats ein End."

Dem Werwolf schmeichelten die Fälle,
er rollte seine Augenbälle.
„Indessen", bat er, „füge doch
zur Einzahl auch die Mehrzahl noch!"

Der Dorfschulmeister aber mußte
gestehn, daß er von ihr nichts wußte.
Zwar Wölfe gäbs in großer Schar,
doch „Wer" gäbs nur im Singular.

Der Wolf erhob sich tränenblind —
er hatte ja doch Weib und Kind!!
Doch da er kein Gelehrter eben,
so schied er dankend und ergeben.

Die unmögliche Tatsache

PALMSTRÖM, etwas schon an Jahren,
wird an einer Straßenbeuge
und von einem Kraftfahrzeuge
überfahren.

„Wie war" (spricht er, sich erhebend
und entschlossen weiterlebend)
„möglich, wie dies Unglück, ja —:
daß es überhaupt geschah?

Ist die Staatskunst anzuklagen
in bezug auf Kraftfahrwagen?
Gab die Polizeivorschrift
hier dem Fahrer freie Trift?

Oder war vielmehr verboten,
hier Lebendige zu Toten
umzuwandeln, — kurz und schlicht:
Durfte hier der Kutscher nicht —?"

Eingehüllt in feuchte Tücher,
prüft er die Gesetzesbücher
und ist alsobald im klaren:
Wagen durften dort nicht fahren!

Und er kommt zu dem Ergebnis:
„Nur ein Traum war das Erlebnis.
Weil", so schließt er messerscharf,
„nicht sein *kann*, was nicht sein *darf*."

Vice versa

Ein Hase sitzt auf einer Wiese,
des Glaubens, niemand sähe diese.

Doch, im Besitze eines Zeißes,
betrachtet voll gehaltnen Fleißes

vom vis-à-vis gelegnen Berg
ein Mensch den kleinen Löffelzwerg.

Ihn aber blickt hinwiederum
ein Gott von fern an, mild und stumm.

Die Nähe

DIE Nähe ging verträumt umher . . .
Sie kam nie zu den Dingen selber.
Ihr Antlitz wurde gelb und gelber,
und ihren Leib ergriff die Zehr.

Doch eines Nachts, derweil sie schlief,
da trat wer an ihr Bette hin
und sprach: „Steh auf, mein Kind, ich bin
der kategorische Komparativ!

Ich werde dich zum Näher steigern,
ja, wenn du willst, zur Näherin!" —
Die Nähe, ohne sich zu weigern,
sie nahm auch dies als Schicksal hin.

Als Näherin jedoch vergaß
sie leider völlig, was sie wollte,
und nähte Putz und hieß Frau Nolte
und hielt all Obiges für Spaß.

OTTO ZUR LINDE

1873–1938

MEIN Schiff ist gefahren so weit übers Meer,
Ein Segel seh ich am Strand nun nimmermehr.
Mein Vogel ist geflogen so hoch ins blaue Meer,
Ein Flügel und Ruder taucht nun nimmer, nimmermehr.

Auf endloser, weißer, heißer Heide ging ich hin,
Und weiß doch nicht: wann ich an den blauen Bergen bin.
Eine endlose Straße geht sausend neben mir hin,
Und doch weiß ich nimmer, nimmer, ob ich gehend bin.

Ich setzte mich auf einen Stein, ich sitz auf einem Meilen-
    stein.
Ich sitz auf einem einsamen, im Sand versunknen Stein.
Ich senke meine Wange in die Hand hinein,
Und grabe meinen Fuß tief in den Sand an meinem Stein.

Ich denke viel und grüble, und mein Stab zieht in dem
    Sand
Kreise und schreibt; ich schau auf Hand und Stab und
    Sand.
Doch ich werd des Schauens müde, und mein Stab fällt
    aus der Hand,
Mein Stab fällt müd und liegt vor meinem Fuß im Sand.

Wann der Abend kommt, dann wird die weiße Heide grau,
Dann wird die weiße Heide grau von Nebelabendtau.
Dann schauert mich die Kühle und der feuchte Abendtau,
Dann muß ich aufstehn und muß wandern, dann ist der
    Sand grau.

Dann wird die Welt grau bis zum Abendrot,
Dann brennt der Himmel, aber mein Herz ist tot.
Mit müdem, gedrücktem Schritt vom Abendrot umloht
Wandr' ich fürder und klopf ans Tor der Nacht: „Laß ein,
    ich bin der Tod!"

SCHREI, liebe Seele, nicht so laut in deinem Jammer,
Sing ein Lied, das du gelernt in guten Tagen,
Fällt auf dich nieder immer wieder Schicksals Hammer,
Mußt zum Takte singen und nicht unrhythmisch klagen.

Sieh doch, eines Dichters Seele ist ein Singeinstrument,
Wenn der Dichter nicht ein Lied kennt,
Das er immer wieder singen kann,
Was wär dann an dem ganzen Dichten dran.

Schrei, schrei, schrei du liebe Seele, wenn du einsam bist,
Riegle ab die Tür und schrei so laut die ganze Nacht.
Aber in den Singsaal stell dich, singend, wie du fröhlich bist,
Singend dein Lied, das längst du fertig gemacht.

Dann hören's viele Leute, was du doch ein Dichter bist,
Ein schöner Singevogel, der aus Käfignäpfchen frißt,
Wenn du aber traurig bist, geh wieder in den Singsaal,
Mit einer Mandoline und sing süße, sabbersüße Qual,

Nimm dir einen Teller
Und geh an den Tischen lang,
Das Gaslicht strahlt nicht heller
Als dein süßer Sabbersang.

Ein Dichter soll nicht scheuen viele Arbeit und Ergetzen,
Ein Dichter soll sich an die Betteltische setzen.
Ein Dichter ist ein schönes Lustbarkeiteninstrument,
Das hörn sie gern, wenn es lacht und flennt.

Nur müssen sie's so haben, daß sie ohne viel zu fühlen,
Dein Lied auf ihrem Seelklavier leicht nachspielen.
Du mußt ein bißchen sein wie alle Seelklavierartisten:
Li-la-Lumlalei, darfst auch mit schnellen Fingern deine
    Hörer überlisten.

Nur immer Li-la-Lumlalei
Zwischen den Ritschratschläufen,
Da ist das Publikum dabei:
Ein rechter Dichter braucht sich lang noch nicht ersäufen.

Am Himmel steht ein Stern am Zaun,
Der hält die Wacht mit seinem Schein.
Da kann er beider Wege schaun,
Er sitzt auf flachem Meilenstein.

Der Zaun umsteht ein stilles Haus,
Durchs Fenster schwimmt ein Licht hervor.
Zwei Wege liegen gradeaus,
Der schwarze Hund schläft vor dem Tor.

Die Nacht liegt beider Wege stumm,
Die Sehnsucht wandert durch die Welt.
Der Stern geht um sein Haus herum,
Der schwarze Hund im Traume bellt.

Da kräht der rote Hahn im Traum,
Da krähn die Hähne überweg,
Da streicht der Wind im Lichterbaum,
Da weht ein Wetterleuchten schräg.

Der Traum, der schrak, schläft wieder ein;
Der Stern beschließt den Rundgang nun,
Er sitzt verschlafen auf dem Stein:
Die Nacht muß unbehütet ruhn.

Die Sehnsucht geht auf dunklem Pfad:—
Die andre Sehnsucht gerne fänd.
Zwei Wege führen weit und grad:
Im Wächterhaus die Lampe brennt.

. . . Und leuchtet übern Zaun ein Stück,
Wo sich der Weg mit Wege trifft,
Im Graben hockt das greise Glück:
Und liest am Kreuz des Weisers Schrift.

Ein Weg führt rechts, führt links ein Weg,
Zwei Wege führen durch die Welt,
Und als der Tag kam übern Steg —
Ein toter Vogel lag im Feld.

LULU VON STRAUSS UND TORNEY

1873–1956

Mara

Dies war das Lied, das Mara sang,
Wenn rot im Herd die Flamme sprang:

Mich freut kein roter Funkenschein,
Vor Abend wird er Asche sein.

Ich trag' kein' Kranz von Rosen rot,
Vor morgen sind sie welk und tot.

Mir graut vor roter Lippen Kuß,
Weil liebste Lieb doch sterben muß.

Und kommt der Tag, und soll ich frein,
So soll der Tod mein Liebster sein!

.   .   .   .   .

Und da sie vor der Schwelle stand,
Rot lag das Feld im Abendbrand.

Da kam ein Mann den Weg entlang,
Verstaubt sein Kleid und schwer sein Gang,

Die Wangen hager, ohne Blut,
Und tief die Augen unterm Hut.

„Du junge Frau, wie herb dein Mund,
Und blüht's ums Haus doch sommerbunt."

„Ich bin allein, mein Haus ist leer,
Mir ward das Herz von Schweigen schwer."

„Und hast nicht Mann und hast nicht Kind,
Die deines Herzens Freude sind?"

44

„Ich hab' mein' Tag kein Kind gewiegt,
Mein Mann drei Jahr im Grabe liegt."

„So hast du Platz zu kurzer Rast
Für straßenmüden Wandergast!"

Sie sprach nicht ja, sie sprach nicht nein,
Sie schritt voran ins Haus hinein.

Und da er eintrat in das Haus,
Das Feuer losch im Herde aus.

Und da er in der Stube stand,
Die Uhr blieb stehen an der Wand.

Frau Mara facht die Kohlen neu,
Ihr Mund war stumm, ihr Schritt war scheu.

Sie schnitt dem Gast vom Brote braun, —
Da lief sie's an wie lockend Graun.

Und in die Stirne schoß ihr's rot
Als ihre Hand den Wein ihm bot.

Er nahm die Hand, er nahm das Glas,
Er trank mit Lippen blutlos blaß:

„O Wein, wie rot dein Feuer blinkt
Dem Mund, der sonst nur Tränen trinkt!

Gesegnet Brot, des Duftes voll,
Der nicht aus Gräberschollen quoll!

Du pochend Blut in warmer Hand,
Wie friert mein Frost nach deinem Brand!

Du süßes Brot, du stärkster Wein,
Du Leben, mein und dreimal mein!"

Ihr fuhr's zum Herzen jäh und warm, —
Kalt war des fremden Liebsten Arm,

Doch fern verklang's in durst'gem Kuß,
Daß liebste Lieb' doch sterben muß . . .

Die Nacht verrann, es schwand der Tag,
Die Uhr im Haus tat keinen Schlag.

Rot losch der zweite Abend aus,
Kein Herdrauch stieg vom stummen Haus.

Und als zerrann die dritte Nacht,
Der fremde Liebste früh erwacht.

Er sah sich um im niedern Raum,
Er sagte schwer, wie halb im Traum:

„Was weil' ich hier? Wie kam ich her?
Lang starb kein Mensch auf Erden mehr!

Reif steht und überreif die Saat,
Es wartet meiner reiche Mahd!"

Die schweren Lider hob die Frau,
Sie horcht und starrt ins Morgengrau:

„Was träumst du, Schatz? Kein Schnitter mäht,
Da kaum das Korn in Ähren steht!"

„Ich träume nicht, der Traum zerrann,
Die Sense ruft den Schnittersmann."

Sie hob sich auf im grauen Licht,
Sah in des Liebsten Angesicht.

Ein kalter Schauer griff sie an:
„Du liebster Mann, du fremder Mann,

Sag', wie du heißt, sag', wer du bist,
Dem Leib und Seel' nun eigen ist . . ."

„Weib, laß mich gehn und frag' nicht mehr,
Dein Herz ist schwach, mein Name schwer!"

„Und wenn du selbst der Böse seist,
Doch will ich wissen, wie du heißt!"

Er stand am Bett, ein Schatten grau:
„So hör' und birg' dein Antlitz, Frau:

Ich bin, den ihr mit Zittern nennt,
Den eurer Nächte Grauen kennt, —

Ich bin, der durch die Ernten geht
Und mit der Sichel Gottes mäht, —

Ich bin, den keine Seele liebt,
Dem keine Schwelle Willkomm gibt, —

Weh, wenn der Arm der Zeit vergißt,
Der allem Ding sein Ende mißt!

Ich hört' ein Lied, das zwang mich her, —
Du siehst mich heut und nimmermehr!"

Sie griff in leere Luft und schrie,
Und sprang zur Tür und schlug ins Knie:

„Sprich, dem ich teilte Wein und Brot,
Ob dir mein Dach nicht Willkomm bot?

War ich nicht dein mit Seel' und Leib,
Und hielt dich lieb und war dein Weib?

Nun willst du gehn und bist doch mein, —
Hilf Gott, wie läßt du mich allein! . . ."

„Und warst du mein, so lohn' ich's dir:
Vorüber geh' ich deiner Tür,

Vorüber geh' ich tausend Jahr,
Bis aller Zeit ein Ende war . . ."

„Erbarm' dich! Tausend Jahre Qual!"
Sie sah ihm nach, die Wangen fahl:

„Mein Freund, mein Licht, mein Liebster du, —
Du Sichel Gottes, schneide zu!"

Er sah sich um, das Antlitz Stein, —
Ein Funken Gnade kam herein.

Er sprach kein Wort, er hob die Hand,
Schwer schlug ihr Haupt des Bettes Rand, —

Ins Fenster glomm das Morgenrot, —
Aus niedrer Türe trat der Tod ...

Judith von Kemnade

„Du trägst des Klosters Abtissenstab
In unrein verfluchten Händen!
Ich stoße dich von dem Stuhl herab,
Den deine Laster schänden!

Ich rufe die Rache Gottes an
Über deine Frevel und Fehle,
Ich spreche dein schuldiges Haupt in Bann
Und deine verlorene Seele!"

Abt Wibald schrie es zum Turm empor, —
Hoch oben steil im Gemäuer,
Da wehte weiß aus der Luke vor
Eines Weibes flatternder Schleier.

Weit über die Brüstung schaute sie,
Sie stand in Wind und Sonne:
„Mönch, mußt du bannen, so banne die,
Die mich geschoren zur Nonne!

Was gaben sie mich zur Sühne hin
Für Sünden meiner Sippen?
Ich habe der Northeims tollen Sinn,
Ihre roten lachenden Lippen!

Was setzen sie mir den Bannvogt ein
Mit den schwarzen krausen Haaren?
Eines Klosters Dienstmann soll weise sein,
Und grau und greis von Jahren!

Geweihte Kerze ist matt von Glanz,
Und hart ist steinernes Kissen,
Ich zählte Küsse am Rosenkranz
Und habe die Kutte zerrissen!

Ich spreche dem Fluch der Kirche Hohn,
Und Hohn dem Pfaffengerichte —!"
Abt Wibald sprang an die Pforte schon,
Den roten Zorn im Gesichte:

„Ergreift sie, Knechte! Du lästerst, Weib!
Dein sündiges Blut soll fließen,
Im härenen Hemde soll dein Leib,
In Flammen des Henkers büßen!

Und wäre der Turm viel fester noch
Und höher hundert Ellen,
Wir fangen die falsche Nonne doch
Und ihren Buhlgesellen!"

Er hub die Fäuste zum ersten Stoß,
Nachdrängte der Knechte Johlen,
Ein Bolzen klirrend zum Dache schoß,
Und ein Beilhieb fuhr in die Bohlen.

Die Pfosten wankten, es kracht das Tor,
Da schrie das jähe Entsetzen,
Da quoll es unter dem Turmhelm vor
Wie schwarze flatternde Fetzen!

Abt Wibald packte den Riegel noch, —
Da sank der Arm ihm erschrocken,
Da fuhr's aus Luken und Mauerloch
Wie rote flatternde Flocken!

Und aus der Lohe ein Lachen bricht,
Das gellt vom Turme hernieder:
„Das härene Bußhemd taugt mir nicht
Für meine blühenden Glieder!

Und dräun die Flammen des Todes mir,
So soll kein Henker sie zünden,
Ich fahre zur Hölle heut und hier
In meinen seligen Sünden!"

Der Mönch stand fahl. Das Lachen war tot.
Schwarz rollten des Rauches Schwaden,
Wie Fackeln des Sieges stiegen rot
Die Flammen von Kemnaden!

Das Wiegenlied

I

WENN die Fischerweiber von Westerland ihre Kinder
    wiegen zur Ruh,
Sie treten die Wiege auf und ab und singen ein Lied dazu,
Sie singen das Lied verhalten nur und putzen des Lämp-
    chens Docht,
Und horchen bang in die Nacht hinaus, wo der Regen ans
    Fenster pocht —:
        „Slap, min Kind, slap, min Kind,
        „Göde Micheel, de segelt geswind,
            „Der Dänen Verheerer,
            „Der Bremer Vertehrer,
            „Der Holländer Krüz un Stecken,
            „Der Hamborger Schrecken!
        „Sin swarte Flagge, de weiht in'n Wind,
        „Slap in un lat dat Grienen,
        „Un wenn min Kind nich slapen will,
        „Denn kümmt hei öwer de Dünen!"

Erk Mannis des Strandvogts Kind schlief ein bei dieses
    Liedes Klang,
Sie sang es mit frischem Kindermund, als sie über die
    Hofstatt sprang,
Sie summt' es sacht, wenn sie früh vor Tag sich flocht das
    gelbe Haar, —
Erk Mannis Kind ward schön von Leib, und ihr Lachen
    klang stolz und klar.

Sie trug zum Melken die Eimertracht und ging mit rischem
    Gang,
Und sang den Reim von Göde Micheel, daß es über die
    Deiche klang.
Eine schwarze Flagge stand fern im Dunst und wuchs aus
    dem Dunst heraus, —
Erk Mannis des Strandvogts Tochter kam den Abend nicht
    nach Haus . . .

2

Des Strandvogts Kopf war grau vor Gram, sein Hof lag
    stumm und leer.
Es gingen sieben Jahr ins Land, und jedes Jahr wog schwer,
Wohl hieß der Bauer von Westerland in vorigen Tagen
    reich,
Heut graste kein rotes Rind ihm mehr, kein flockiges Schaf
    am Deich,
Denn Göde Micheel war Herr der See, und wo er ging an
    Land,
Da ließ sein Schiffsvolk weit und breit eine Spur von Blut
    und Brand!

Der Vogt stieg müde die Wurt herauf zu seines Hauses Tor.
Da stand im frostigen Morgenlicht ein fremdes Weib davor,
Der Regen fiel ihr auf Tuch und Kleid und näßte ihr gelbes
    Haar,
Sie war stark von Schultern und hoch von Haupt. Er wußte
    nicht, wer sie war.

„Mein Haus steht offen!" der Strandvogt sprach und trat
    ins Tor voran.
Trien Mannis, sein Weib, das spann am Herd und schaute
    die Fremde an,
        Die stand und summte den Wiegenreim:
          „Sin swarte Flagge, de weiht in'n Wind,
          Göde Micheel, de segelt geswind —"
Da riß Trien Mannis der Faden ab: „Hilf Gott! mein Kind,
    mein Kind!"

Stumm hob die Junge die blasse Stirn, das Feuer beschien
    sie grell,
Sie sah nicht Vater noch Mutter an, ihr Auge war hart und
    hell,
Sie wandte den Kopf zur Seite nur, als habe sie nichts
    gehört,
Und kniete nieder drei Schritte weit, in der grauen Asche
    am Herd:

„Mir ist ein gottlos Geheimnis kund, das keiner im Lande
    kennt,
Ich trage heimlicher Schande Last, die heiß wie dies Feuer
    brennt!
Und darf ich es Menschen nicht vertraun, und bindet mich
    harter Eid —
Du Flamme auf meines Vaters Herd, so klag' ich dir mein
    Leid!

Herr Gott im hohen Himmelreich, sei gnädig meiner Seel!
Flamme, ich bin eines Mannes Weib, und der Mann heißt:
    Göde Micheel!
Sein Name ist wie der Name Des, der ewig im Abgrund
    haust,
Es duckt die See unter seinem Kiel, und das Land unter
    seiner Faust!

Seine Tafel ist schwer von silbernem Raub, sein Haus ist
    stark und fest!
Ich war seiner Beute bestes Stück in dem grauen Strand-
    vogelnest,
Ich sah nach der schwarzen Flagge aus in Furcht und
    heißer Scham,
Denn sein Kuß war herrisch wie Blick und Schwert, und er
    fragte nicht, wenn er nahm!

Ich hab' ihn *gehaßt* die sieben Jahr, dem ich sieben Söhne
    trug, —
Er lärmt beim Becher und weiß es nicht, daß heut seine
    Stunde schlug:
Ich fahre den Weg zu ihm zurück, und mein Wimpel leuchtet weit!
Du Flamme auf meines Vaters Herd, — so hielt ich meinen
    Eid!"

Sie strich die Asche vom Kleide ab, sie bot nicht Gruß noch
    Hand,
Sie schritt nur schweigend zur Tür hinaus, den sandigen
    Weg zum Strand,
Eines Bootes Wimpel wies brennend rot einen Weg über
    weglos Meer,
Zwölf braune Segel von Westerland stürmten hinter ihm her!

3

„Was lärmt am Strande das Möwenvolk?" spricht Göde
    Micheel und lauscht,
„Das ist ein flüchtender Flügelsturm, der über die Dünen
    rauscht!
Sie kennen der Unsern Ruf und Tritt und fürchten ihr
    Nahen nicht,
Jan Maat, das kann nur was Fremdes sein, das ihren Frieden
    bricht!"

„In Teufelsnamen, so laß sie schrein!" sein Steuermaat
    lacht, der Jan,
„Es lebe der König der Nordersee! Göde Micheel, stoßt an!
        Der Dänen Verheerer,
        Der Bremer Vertehrer,
        Der Holländer Krüz un Stecken,
        Der Hamborger Schrecken —"

Da bricht's in trunkenen Lärm herein und dröhnt wie
    polternder Schritt,
Von rauhen Stimmen ein wüster Chor brüllt draußen den
    Kehrreim mit,
Die Tür fliegt auf, wie mit schwerem Fuß der Strandvogt
    dagegen trat,
Von stürzenden Tischen trieft der Wein, und der Steuer-
    mann schreit: „Verrat!"

Ein letztes Lachen wird Wutgejohl, schon keuchen sie Leib
    an Leib,
Die Messer blank! — Auf der Schwelle steht, die Arme
    gekreuzt, ein Weib.
Sie steht in Röcheln und Sterbefluch, kein Zittern fallt sie an,
Des Weibes Augen sind hart und hell und suchen nur *einen*
    Mann.

Schlagt tot den Würger, den Strandwolf tot, Männer von
    Westerland!
Es rinnt ihm über die Stirne schon, ein dunkles rieselndes
    Band,
Seine letzte Waffe die nackte Faust, zwei Schritt im Nacken
    der Tod, —
Was werden der Frau die Wangen weiß und brannten doch
    zornig rot?

Göde Micheel, ein Atemzug, und du stehst vor Gottes
    Gericht!
Was lehnt sie gegen den Pfosten schwer, als trüge das Knie
    sie nicht?

Ihr Herz ein zitternder Hammerschlag, ihr Blick wird starr
    und groß, —
Schon wirft der Strandvogt von Westerland das Messer
    empor zum Stoß, —

Da reißt's ihm klammernd den Arm zurück, da drängt's
    ihm stürmisch vorbei,
Und über Röcheln und Sterbefluch eines Weibes jauch-
    zender Schrei:
„Ich hab' ihn *geliebt* die sieben Jahr, dem ich sieben Söhne
    trug,
Meine Stunde, Göde Micheel, schlägt mit, wenn deine
    Stunde schlug!"

Er sieht sie an. Ihre Wimper zuckt und sinkt vor seinem
    Blick.
Da lacht er bitter. „Wer ist das Weib? Ich kenne sie nicht!
    Zurück!
Heran zu mir, wer die Treue hielt und stolz zu sterben
    begehrt!
Wer Göde Micheel verraten kann, ist seines Todes nicht
    wert!"

4

Wenn die Fischerweiber von Westerland barbeinig waten
    im Schlick,
Und unter Kiepe und Krabbennetz keuchen zum Dorf
    zurück,
Sie biegen seitab vom Dünenpfad und hasten, als ob es
    brennt,
Wenn Eine ihnen vorüberstreicht, die jeder im Dorfe kennt.
Eine, die wandert ohne Weg im Wind, der die Dünen fegt,
Eine, die Gott gezeichnet hat, — die Ketten des Bösen trägt,
Die Distel ritzt ihr den nackten Fuß, ihre Strähnen fliegen
    verwirrt,
Ihre hellen Augen sind starr und leer, ihre Seele flattert
    und irrt.

Sie wiegt sich hin, und sie biegt sich her, als wiegt sie ein
    Kind zur Ruh,
Ihre Stimme klingt wie zerbrochen Glas, die singt einen
    Reim dazu:
       „Slap, min Kind, slap, min Kind,
       „Göde Micheel, de segelt geswind,
         „Der Dänen Verheerer,
         „Der Bremer Vertehrer,
         „Der Holländer Krüz un Stecken,
         „Der Hamborger Schrecken,
       „Sin swarte Flagge, de weiht in'n Wind,
       „Slap, min Kind. . . .“

Abend

WEIT offen stand des Abends Feuertor
In amethystenblassen Wolkenmauern,
Und um die Tannen hing sich schwarzes Trauern,
Wie nun der Glanz sich müd im Grau verlor.

Und ward ein Heer von stummen Schatten wach,
Die Wand der Berge düsterte im Westen,
Und zitternd streckte sich mit nackten Ästen
Der dunkle Baum dem toten Tage nach.

Und wuchs und wuchs die große Traurigkeit,
Die alle Dinge um das Ende tragen, —
Und hob ein Nachtwind müde an zu klagen
Um Heut und Einst und alle tote Zeit . . .

1874–1929

Vorfrühling

Es läuft der Frühlingswind
Durch kahle Alleen,
Seltsame Dinge sind
In seinem Wehn.

Er hat sich gewiegt,
Wo Weinen war,
Und hat sich geschmiegt
In zerrüttetes Haar.

Er schüttelte nieder
Akazienblüten
Und kühlte die Glieder,
Die atmend glühten.

Lippen im Lachen
Hat er berührt,
Die weichen und wachen
Fluren durchspürt.

Er glitt durch die Flöte
Als schluchzender Schrei,
An dämmernder Röte
Flog er vorbei.

Er flog mit Schweigen
Durch flüsternde Zimmer
Und löschte im Neigen
Der Ampel Schimmer.

Es läuft der Frühlingswind
Durch kahle Alleen,
Seltsame Dinge sind
In seinem Wehn.

Durch die glatten
Kahlen Alleen
Treibt sein Wehn
Blasse Schatten

Und den Duft,
Den er gebracht,
Von wo er gekommen
Seit gestern nacht.

Erlebnis

MIT silbergrauem Dufte war das Tal
Der Dämmerung erfüllt, wie wenn der Mond
Durch Wolken sickert. Doch es war nicht Nacht.
Mit silbergrauem Duft des dunklen Tales
Verschwammen meine dämmernden Gedanken,
Und still versank ich in dem webenden,
Durchsichtgen Meere und verließ das Leben.
Wie wunderbare Blumen waren da
Mit Kelchen dunkelglühend! Pflanzendickicht,
Durch das ein gelbrot Licht wie von Topasen
In warmen Strömen drang und glomm. Das Ganze
War angefüllt mit einem tiefen Schwellen
Schwermütiger Musik. Und dieses wußt ich,
Obgleich ichs nicht begreife, doch ich wußt es:
Das ist der Tod. Der ist Musik geworden,
Gewaltig sehnend, süß und dunkelglühend,
Verwandt der tiefsten Schwermut.

                                    Aber seltsam!
Ein namenloses Heimweh weinte lautlos
In meiner Seele nach dem Leben, weinte,
Wie einer weint, wenn er auf großem Seeschiff
Mit gelben Riesensegeln gegen Abend
Auf dunkelblauem Wasser an der Stadt,
Der Vaterstadt, vorüberfährt. Da sieht er

Die Gassen, hört die Brunnen rauschen, riecht
Den Duft der Fliederbüsche, sieht sich selber,
Ein Kind, am Ufer stehn, mit Kindesaugen,
Die ängstlich sind und weinen wollen, sieht
Durchs offne Fenster Licht in seinem Zimmer —
Das große Seeschiff aber trägt ihn weiter
Auf dunkelblauem Wasser lautlos gleitend
Mit gelben, fremdgeformten Riesensegeln.

Die Beiden

SIE trug den Becher in der Hand
— Ihr Kinn und Mund glich seinem Rand —,
So leicht und sicher war ihr Gang,
Kein Tropfen aus dem Becher sprang.

So leicht und fest war seine Hand:
Er ritt auf einem jungen Pferde,
Und mit nachlässiger Gebärde
Erzwang er, daß es zitternd stand.

Jedoch, wenn er aus ihrer Hand
Den leichten Becher nehmen sollte,
So war es beiden allzu schwer:
Denn beide bebten sie so sehr,
Daß keine Hand die andre fand
Und dunkler Wein am Boden rollte.

Ballade des äußeren Lebens

UND Kinder wachsen auf mit tiefen Augen,
Die von nichts wissen, wachsen auf und sterben,
Und alle Menschen gehen ihre Wege.

Und süße Früchte werden aus den herben
Und fallen nachts wie tote Vögel nieder
Und liegen wenig Tage und verderben.

Und immer weht der Wind, und immer wieder
Vernehmen wir und reden viele Worte
Und spüren Lust und Müdigkeit der Glieder.

Und Straßen laufen durch das Gras, und Orte
Sind da und dort, voll Fackeln, Bäumen, Teichen,
Und drohende, und totenhaft verdorrte . . .

Wozu sind diese aufgebaut? und gleichen
Einander nie? und sind unzählig viele?
Was wechselt Lachen, Weinen und Erbleichen?

Was frommt das alles uns und diese Spiele,
Die wir doch groß und ewig einsam sind
Und wandernd nimmer suchen irgend Ziele?

Was frommts, dergleichen viel gesehen haben?
Und dennoch sagt der viel, der „Abend" sagt,
Ein Wort, daraus Tiefsinn und Trauer rinnt

Wie schwerer Honig aus den hohlen Waben.

Terzinen

I

Über Vergänglichkeit

NOCH spür ich ihren Atem auf den Wangen:
Wie kann das sein, daß diese nahen Tage
Fort sind, für immer fort, und ganz vergangen?

Dies ist ein Ding, das keiner voll aussinnt,
Und viel zu grauenvoll, als daß man klage: ·
Daß alles gleitet und vorüberrinnt

Und daß mein eignes Ich, durch nichts gehemmt,
Herüberglitt aus einem kleinen Kind
Mir wie ein Hund unheimlich stumm und fremd.

Dann: daß ich auch vor hundert Jahren war
Und meine Ahnen, die im Totenhemd,
Mit mir verwandt sind wie mein eignes Haar,

So eins mit mir als wie mein eignes Haar.

II

Die Stunden! wo wir auf das helle Blauen
Des Meeres starren und den Tod verstehn,
So leicht und feierlich und ohne Grauen,

Wie kleine Mädchen, die sehr blaß aussehn,
Mit großen Augen, und die immer frieren,
An einem Abend stumm vor sich hinsehn

Und wissen, daß das Leben jetzt aus ihren
Schlaftrunknen Gliedern still hinüberfließt
In Bäum und Gras, und sich matt lächelnd zieren

Wie eine Heilige, die ihr Blut vergießt.

III

Wir sind aus solchem Zeug, wie das zu Träumen,
Und Träume schlagen so die Augen auf
Wie kleine Kinder unter Kirschenbäumen,

Aus deren Krone den blaßgoldnen Lauf
Der Vollmond anhebt durch die große Nacht.
. . . Nicht anders tauchen unsre Träume auf,

Sind da und leben wie ein Kind, das lacht,
Nicht minder groß im Auf- und Niederschweben
Als Vollmond, aus Baumkronen aufgewacht.

Das Innerste ist offen ihrem Weben,
Wie Geisterhände in versperrtem Raum
Sind sie in uns und haben immer Leben.

Und drei sind Eins: ein Mensch, ein Ding, ein Traum.

IV

Zuweilen kommen niegeliebte Frauen
Im Traum als kleine Mädchen uns entgegen
Und sind unsäglich rührend anzuschauen,

Als wären sie mit uns auf fernen Wegen
Einmal an einem Abend lang gegangen,
Indes die Wipfel atmend sich bewegen

Und Duft herunterfällt und Nacht und Bangen,
Und längs des Weges, unsres Wegs, des dunkeln,
Im Abendschein die stummen Weiher prangen

Und, Spiegel unsrer Sehnsucht, traumhaft funkeln,
Und allen leisen Worten, allem Schweben
Der Abendluft und erstem Sternefunkeln

Die Seelen schwesterlich und tief erbeben
Und traurig sind und voll Triumphgepränge
Vor tiefer Ahnung, die das große Leben

Begreift und seine Herrlichkeit und Strenge.

Manche freilich . . .

MANCHE freilich müssen drunten sterben,
Wo die schweren Ruder der Schiffe streifen,
Andre wohnen bei dem Steuer droben,
Kennen Vogelflug und die Länder der Sterne.

Manche liegen immer mit schweren Gliedern
Bei den Wurzeln des verworrenen Lebens,
Andern sind die Stühle gerichtet
Bei den Sibyllen, den Königinnen,
Und da sitzen sie wie zu Hause,
Leichten Hauptes und leichter Hände.

Doch ein Schatten fällt von jenen Leben
In die anderen Leben hinüber,
Und die leichten sind an die schweren
Wie an Luft und Erde gebunden:

Ganz vergessener Völker Müdigkeiten
Kann ich nicht abtun von meinen Lidern,
Noch weghalten von der erschrockenen Seele
Stummes Niederfallen ferner Sterne.

Viele Geschicke weben neben dem meinen,
Durcheinander spielt sie alle das Dasein,
Und mein Teil ist mehr als dieses Lebens
Schlanke Flamme oder schmale Leier.

BÖRRIES FREIHERR VON MÜNCHHAUSEN

1874–1945

Die drei Hemden

Die Spinnhexe

DA war ein Tal, so feucht und kalt,
Und Farrn und Moosgeflecht,
Der blaue Häher strich am Wald,
Und flog der grüne Specht.

Und eine Wiese, Stern an Stern,
Ein stiller Grund war da,
Die wilden Tauben gurrten fern,
Die Grillen zirpten nah.

Und wo am tiefsten war der Wald,
In Disteln scharf gezähnt,
Lag klein und grün und wunderalt
Ein Hüttchen hingelehnt.

Kein Weg führt hin, kein Weg führt fort,
Kein Schlüssel kennt die Tür,
Kein Fenster hier, kein Laden dort,
Nur Spinnweb dort und hier.

Wie silbergrauer Schleier spannt
Sich Spinngeweb ums Dach,
Vom Dach herab ins schwarze Land
Fließts wie ein grauer Bach.

In allen Fensterhöhlen steht
Ein silbergrauer Stern,
Und Spinngewebe lappt und weht
Vom Firste in die Fern. —

Eine Hexe wohnt im Zauberhaus,
Grauspinnweb ist ihr Kleid,
Jahraus, jahrein, jahrein, jahraus
Verspann sie altes Leid,

Verspann sie ihrer Jugend Gram
In ein rauhhaarig Garn,
Und spann hinein viel Schand und Scham
Und sehnsuchtsheißes Harrn,

Spann Küsse, heiße, ohne Zahl,
Spann tiefe Seufzer hinein,
Und spann hinein die alte Qual
Zerbrochner Ringelein.

Sie drehte in das Zaubergarn
Tage voll Glanz und Pracht,
Und wilde Lieder der Gitarrn
Und manche heiße Nacht. —

Die Spindel tanzte heute früh
Noch einmal auf und ab, —
Die Hexe blies den Staub vom Knie,
Nahm Spulen her und Stab.

Am Zauberhaus kreischt auf das Tor,
Nachtnebel floß im Grund,
Die Hexe trug durch Wald und Moor
Zur Stadt ihr Garngebund.

Drei Hemden wob der Stuhl daraus,
Und jedes trug im Tuch,
Und jedes trug ins Land hinaus
Der Hexe Sündenfluch.

Die Nonne

Was nur der Nonne Gertrudis das Herze so fröhlich macht?
— Ein Lachen wie die Taube, die fern im Holze lacht,
Sie schmaust mit blitzenden Zähnchen das dunkle Kloster-
brot,
Sie liest sich nächtens die Backen am Hohen Liede rot.

An ihre jungen Glieder schmiegt sich ein Linnen dicht,
Sie trägt ein Hemd der Sünde und lacht und weiß es nicht,
Sie beichtet dem jungen Priester ihres Herzens dunkelen
Grund,
Und beichtet mit brennenden Lippen ihren glückver-
langenden Mund.

Sie beichtet der runden Arme ausbreitende dehnende Lust,
Sie beichtet die blassen Rosen ihrer warmen schwellenden
Brust,
Sie beichtet der weißen Lilie strickumgürtete Glut, —
Da beichtet der Beichtiger selber, und Jugend beichtet gut!

Der Mond ward sacht zum Schilde, zur Sichel ward der
Schild,
Die beiden trafen einander beim Muttergottesbild,
Und als die Sichel wieder hing überm Kirchturmknauf,
Da mähte sie die Lilie, die Rosen blühten auf.

Die Klosterglocken dröhnen und läuten in drohendem
 Ton:
Es ist die Nonne Gertrudis mit einem Priester entflohn,
Doch in die Glocken klingt es wie deutsches Lied hinein,
Und heimlich summts im Kloster: „Verloren ist das
 Schlüsselein!" —

Weit drüben in Niederlanden, da träumt ein helles Haus,
Da ruht von Tages Arbeit ein junger Magister aus,
Sein Weib tritt sacht die Wiege, und aus dem Sündentuch
Näht sie zwei kleine Hemdchen, da brach der alte Fluch.

Jeanne Antoinette

„Jeanne Antoinette, nun lauf nicht so,
  Jeanne Antoinette!
Meine alten Füße, die können nicht so,
  Jeanne Antoinette!
Die Diligence, die dich mit sich nimmt,
Die Diligence wartet ganz bestimmt,
  Jeanne Antoinette!

Und in Paris sei höflich und fein
  Und halt dich honett,
's muß nicht gleich mit jedem geliebelt sein,
  Jeanne Antoinette!
Du bist ein Kind, und Paris ist groß,
Und das Leben darin ist gar kurios,
  Jeanne Antoinette!

Der König Ludwig hält prächtig Haus,
  Mit Ball und Bankett,
Und ganz Paris lebt in Saus und Braus,
  Jeanne Antoinette,
Alle Worte wie Verse voll Honigseim! —
Und ‚Mund' auf ‚Mund' ist ein süßer Reim,
  Jeanne Antoinette!

Und hier, du blondes, du Tändelkind,
    — Ich stickt es so nett! —
Hier hast du mein letztes Angebind,
    Jeanne Antoinette:
Ein Hemdchen, ich nähte es eigens für dich,
Und wenn du es anziehst, so denkst du an mich,
    Jeanne Antoinette!" —

Fortschaukelt die Post nach dem großen Paris,
    Das fernher graut,
Und seiner Königin, die es nicht hieß,
    Entgegenschaut.
Sie tanzte so weich die Quadrille à la cour,
Da ward zur Marquise de Pompadour
    eanne Antoinette.

Rabbi Manasse Kohen

In der Hohen Schule zu Prag sitzt einer,
Wer stillt ihm die Sehnsucht nach Weisheit? Keiner!
Er sucht seinen Gott in der Schrift irgendwo,
Findet er Gott in der Schrift? — Nirgendwo!

In der Rabbischule zu Prag ist ein Summen,
Halb Singen, halb Sprechen und jähes Verstummen,
Halacha, Hagada von früh bis spät,
Und in ewigem Schaukeln ein ewig Gebet. —

In der Schule zu Prag loschen lange die Lichter,
Die Moldaunebel brau'n dichter und dichter,
Einer sucht sich selber bei Sonne und Licht, —
Findet er sich selber? Er findet sich nicht!

„Ach, hätt ich die Flügel der Rosse vom Wagen,
Der flackernd gen Himmel Elijah getragen,
Ich rauschte zu dem, der im Dornbusch brennt,
Des Namen die Rolle der Thora nicht kennt,

Ich taucht in die Tiefen, die Saul sich erschlossen,
Draus quellend der Strom alles Lebens geflossen,
Ich folge des Stroms unterirdischem Lauf,
Und die ewigen Türen, mir springen sie auf!" —

In der Rabbischule zu Prag ist ein Summen,
Halb Singen, halb Sprechen und jähes Verstummen,
Eine Stimme, die fehlt, — und doch schweigt sie nicht,
Sie schrie nur zu laut nach dem ewigen Licht! — —

Vom Stamme der Priester Manasse Kohen
Ist in die weiten Länder geflohen,
Was soll ihm sein Adel! Er lacht und spricht:
„Gesetz und Gebet, — was! Ich glaub ihnen nicht!"

Die Leidenschaften, wie große Winde,
Gehn über sein Herz in Schuld und Sünde,
Er taucht in das Leben — und fand es so tief,
Und so schlammig das Bett, darinnen es schlief.

Und fand überm Strom doch die ewigen Stege,
Und fand in der Sünde nach oben die Wege,
Und fand sich selber, — doch als er sich sah,
Wie der Schnee war die Locke der Schläfen ihm da. —

Der große Rabbi Manasse Kohen
Lebt wieder in Prag, draus einst er geflohen,
Hochgieblig und finster ein dunkeles Haus,
Da gehen viel Leute ein und aus.

Und wer einen Sohn in der Fremde verloren,
Und wer verzweifelt an allen Doktoren,
Und wer an heimlichen Feuern verglüht,
Und wer an den ewigen Fragen sich müht,

Sie alle kommen und fragen und klagen,
Und der Große Rabbi muß Antwort sagen,
Seine Weisheit ist mächtig, sein Ruf geht weit,
Heut klagt ihm das Volk sein letztes Leid:

„Wir fingen die Hexe, von der sie sagen,
Sie hätte die Sünde nach Böhmen getragen,
Sie saß und spann tief drinnen im Wald,
Spinnwebenumwoben und wunderalt.

Nun gib, Großer Rabbi, gib du uns den Segen,
Wir wollen sie weich in die Moldau legen,
Die Spindelhexe, die Gift nur gebraut
Und Liebestränke für Knaben und Braut!"

Da tritt zum Altane Rabbi Manasse
Und sieht hinab auf die tobende Gasse
Und hebt seine Hand, — da schweigt es, — und spricht:
„Ihr habt die Hände der Richtenden nicht!

Und hat sie die Leidenschaft in euch entzündet, —
Habt ihr denn den Fluch ihrer Tränke ergründet?
Wer von euch hat niemals nach Liebe begehrt,
Wen hat nicht die Liebe erst leben gelehrt?!

Gab Leidenschaft nicht euern Zielen die Weiten,
Gab sie euch nicht Götter in Stürmen und Streiten,
Gab Weibern das Kind und gab Männern den Stab, —
Und wißt ihr vielleicht, was sie mir einmal gab!"

Ein Schweigen rings, und dann wie ein Raunen,
Ein Stoßen und Gehen, ein Zögern und Staunen,
Fort schleicht sich die Alte, ihr Fluch losch aus,
Und der Große Rabbi geht ernst ins Haus.

Große Kinder

DIE groß gewordnen Kinder lösen sich
So leicht von uns, wie an Oktobertagen
Die Äpfel, ohne daß ein Windhauch strich,
Vom Zweige auf den warmen Rasen schlagen.

Die liebe Blüte schützten wir so gern
Und sahen selgen Blicks zur Frucht sie reifen, —
Nun regt sich drinnen schon der braune Kern
Und möchte unsre Sorge von sich streifen,

Sehnt sich zur Erde, sehnt zur Sonne sich,
Sehnt sich nach Untergang und Auferstehen,
Und wir stehn einsam da, — und feierlich
Hörn wir den Herbstwind durch die Blätter gehen.

Dunkeler Falter

WENN zwei Eheleute zum Sternenhimmel starrn,
Oder ein Bruder hält seiner lieben Schwester das Garn,
Oder ein Freund schenkt bedachtsam dem Freunde ein, —

Schwebt ein dunkeler Falter über den zwein:

Einer von uns muß hinter dem Sarge gehn,
Dran im Straßenwinde die Schleifen wehn,
Einer von uns muß streun mit kalter Hand
Erde hernieder vom bretternen Grabesrand,
Einer von uns muß gehn nach Haus allein, —

Lieber Gott, laß mich der andere sein!

Der große Spieler

WENN ich stürzte, Gott — du stießest mich!
Wenn ich fiel, ein Würfel, der verloren, —
Wars nicht *deine* Hand, der ich entwich,
Wars nicht *deine* Hand, die mich erkoren?!

War es nicht ein Spiel, das *du* gespielt,
Der du niemals meine Wonnen fühltest,
Der du niemals, ach, mein Leid gefühlt, —
War es nicht *dein* Spiel, das du *ver*spieltest?!

Leg noch einmal in den Becher mich,
Roll mich einmal noch aus deinen Handen,
Ach, vielleicht gewännest du *und* ich,
Wenn das Würfeln besser du verstanden!

Lebensangst

ICH warte und weiß nicht worauf, —
Dunkel verhangnes Verhängnis
Nimmt seinen Lauf . . .

So hört im letzten Gefängnis
Einer in Angst und Trotz
Draußen im Hofe
Beilschlag vom Bau des Schafotts.

Ich ängste und weiß nicht wovor, —
Unerbittliche Strophe
Hämmert im Ohr
Unausweichlichen Reim auf Not:
Tod.

Tod, was machst du mich bang,
Laß die Sense doch sausen,
Dengle nicht so lang!

Grauen und Grausen
Warten draußen vorm Tor, —
Graun und Grausen will ich ertragen
Ohne die Wimper niederzuschlagen,
Nur nicht die *Angst* davor!

Welle der Ewigkeit

EIN Vogel saß im Flieder
und bannte mich:
er sang so süße Lieder
selig für sich.

Ich stand auf meiner Stelle
am Strande der Zeit,
und es verweilte die Welle
der Ewigkeit.

Stille

STILLE, Stille. Nur das leise Ticken
ungehemmter Zeit.
Bis die Seele mit ergebnem Nicken
einst bereit,

aus dem Dunkel eine Hand zu fassen
und zu gehn,
alle ihre Saaten stehn zu lassen,
wie sie stehn.

WILHELM VON SCHOLZ
1874–

Brunnen-Inschrift

ICH bin der Erde kühles Blut.
Hier schöpft von meiner klaren Flut,
wo sie aus Dunkel kommt und quillt
und rauschend eure Krüge füllt.

Ihr hört, indes ihr schöpft, mein Wort:
ihr tragt nicht Wasser mit euch fort;
den Schatten meines ewigen Fließens,
den Nachhall meines Sich-Ergießens
habt ihr in euren schweren Krügen.
Ihr trinkt — da faßt euch Sehnsucht an,
der keine Wanderfahrt genügen
und die kein Sturm verlöschen kann.
Ihr trankt das Fließen, trankt die Zeit:
mein ist die tiefste Trunkenheit.

Sommerspuk

MANNSHOCH steht das Korn unterm Sichelmond,
der im Dämmerblau schwebt über goldfahler Weite.
Der Mahr, der heimlich im Ährenwald wohnt,
bereitet sich, daß er ins Nachtdunkel gleite.
Denn die Sichel mahnt, die am Himmel thront,
daß die Schnitter nahn mit den Sensen im Schwung,
mit den braunen packenden Händen im Schwung,
mit den Füßen, die stehend vorwärts schreiten
durch die halmfallenden Furchenbreiten.
Wer ist es?

Der den Ähren die seltsamen Dinge sagt,
daß sie, wenn Wind weht, rascheln und flüstern,
daß sie die Köpfe neigen und wispern;
jede erzählt, jede tuschelt und fragt.
Glauben sie, was er zu sagen wagt?
Daß die Sichel herabsinkt und schneidet zu Garben,
die vom Blitz ihres Kreisens starben?
Daß, wo die Kornwoge rauscht weit über das Land,
kahles Feld dann sich dehnt bis zum Waldesrand?
Wer weiß es?

Jede weiß es und zittert, aber keine will's glauben,
fröhlich bleiben will jede trotz der Gefahr.
Die Sichel hängt hoch, soll die Freude nicht rauben!
Wir sind ja zusammen, wispert die Schar.

Die Sichel sinkt. Sternklar wird die Nacht.
Da hat der Mahr die Fledermausflügel
und die listig verkniffenen Augen weit aufgemacht,
an zwei mächtigen Halmen aufklimmend sacht
sich flatternd geschwungen oben vom Hügel
über die endlose Ebene der Ähren,
die des morgigen Tages harrt.
Nichts regt sich, nichts flüstert, das Korn steht erstarrt.
Kein Halm wird sich wehren.

RAINER MARIA RILKE

1875–1926

Volksweise

MICH rührt so sehr
böhmischen Volkes Weise,
schleicht sie ins Herz sich leise,
macht sie es schwer.

Wenn ein Kind sacht
singt beim Kartoffeljäten,
klingt dir sein Lied im späten
Traum noch der Nacht.

Magst du auch sein
weit über Land gefahren,
fällt es dir doch nach Jahren
stets wieder ein.

ICH war ein Kind und träumte viel
und hatte noch nicht Mai;
da trug ein Mann sein Saitenspiel
an unserm Hof vorbei.
Da hab ich bange aufgeschaut:
„O Mutter, laß mich frei . . .“
  Bei seiner Laute erstem Laut
  brach etwas mir entzwei.

Ich wußte, eh sein Sang begann:
Es wird mein Leben sein.
Sing nicht, sing nicht, du fremder Mann:
Es wird mein Leben sein.

Du singst mein Glück und meine Müh,
mein Lied singst du und dann:
mein Schicksal singst du viel zu früh,
so daß ich, wie ich blüh und blüh. —
es nie mehr leben kann.

Er sang. Und dann verklang sein Schritt, —
er mußte weiterziehn;
und sang mein Leid, das ich nie litt,
und sang mein Glück, das mir entglitt,
und nahm mich mit und nahm mich mit —
und keiner weiß wohin . . .

ICH fürchte mich so vor der Menschen Wort.
Sie sprechen alles so deutlich aus:
und dieses heißt Hund und jenes heißt Haus,
und hier ist Beginn und das Ende ist dort.

Mich bangt auch ihr Sinn, ihr Spiel mit dem Spott,
sie wissen alles, was wird und war;
kein Berg ist ihnen mehr wunderbar;
ihr Garten und Gut grenzt grade an Gott.

Ich will immer warnen und wehren: Bleibt fern.
Die Dinge singen hör ich so gern.
Ihr rührt sie an: sie sind starr und stumm.
Ihr bringt mir alle die Dinge um.

NENN ich dich Aufgang oder Untergang?
Denn manchmal bin ich vor dem Morgen bang
und greife scheu nach seiner Rosen Röte —
und ahne eine Angst in seiner Flöte
vor Tagen, welche liedlos sind und lang.

Aber die Abende sind mild und mein,
von meinem Schauen sind sie still beschienen;
in meinen Armen schlafen Wälder ein, —
und ich bin selbst das Klingen über ihnen
und mit dem Dunkel in den Violinen
verwandt durch all mein Dunkelsein.

KANN mir einer sagen, wohin
ich mit meinem Leben reiche?
Ob ich nicht auch noch im Sturme streiche
und als Welle wohne im Teiche,
und ob ich nicht selbst noch die blasse, bleiche,
frühlingfrierende Birke bin?

Aus einer Kindheit

DAS Dunkeln war wie Reichtum in dem Raume,
darin der Knabe, sehr verheimlicht, saß.
Und als die Mutter eintrat wie im Traume,
erzitterte im stillen Schrank ein Glas.
Sie fühlte, wie das Zimmer sie verriet,
und küßte ihren Knaben: Bist du hier? . . .
Dann schauten beide bang nach dem Klavier,

denn manchen Abend hatte sie ein Lied,
darin das Kind sich seltsam tief verfing.
Es saß sehr still. Sein großes Schauen hing
an ihrer Hand, die ganz gebeugt vom Ringe,
als ob sie schwer in Schneewehn ginge,
über die weißen Tasten ging.

Herbsttag

HERR: es ist Zeit. Der Sommer war sehr groß.
Leg deinen Schatten auf die Sonnenuhren,
und auf den Fluren laß die Winde los.

Befiehl den letzten Früchten voll zu sein;
gib ihnen noch zwei südlichere Tage,
dränge sie zur Vollendung hin und jage
die letzte Süße in den schweren Wein.

Wer jetzt kein Haus hat, baut sich keines mehr.
Wer jetzt allein ist, wird es lange bleiben,
wird wachen, lesen, lange Briefe schreiben
und wird in den Alleen hin und her
unruhig wandern, wenn die Blätter treiben.

Schlußstück

DER Tod ist groß.
Wir sind die Seinen
lachenden Munds.
Wenn wir uns mitten im Leben meinen,
wagt er zu weinen
mitten in uns.

DU, Nachbar Gott, wenn ich dich manches Mal
in langer Nacht mit hartem Klopfen störe, —
so ists, weil ich dich selten atmen höre
und weiß: Du bist allein im Saal.

Und wenn du etwas brauchst, ist keiner da,
um deinem Tasten einen Trank zu reichen:
ich horche immer. Gib ein kleines Zeichen.
Ich bin ganz nah.

Nur eine schmale Wand ist zwischen uns,
durch Zufall; denn es könnte sein:
ein Rufen deines oder meines Munds —
und sie bricht ein
ganz ohne Lärm und Laut.

Aus deinen Bildern ist sie aufgebaut.

Und deine Bilder stehn vor dir wie Namen.
Und wenn einmal das Licht in mir entbrennt,
mit welchem meine Tiefe dich erkennt,
vergeudet sichs als Glanz auf ihren Rahmen.

Und meine Sinne, welche schnell erlahmen,
sind ohne Heimat und von dir getrennt.

WERKLEUTE sind wir: Knappen, Jünger, Meister,
Und bauen dich, du hohes Mittelschiff.
Und manchmal kommt ein ernster Hergereister,
geht wie ein Glanz durch unsre hundert Geister
und zeigt uns zitternd einen neuen Griff.

Wir steigen in die wiegenden Gerüste,
in unsern Händen hängt der Hammer schwer,
bis eine Stunde uns die Stirnen küßte,
die strahlend und als ob sie alles wüßte
von dir kommt wie der Wind vom Meer.

Dann ist ein Hallen von dem vielen Hämmern,
und durch die Berge geht es Stoß um Stoß.
Erst wenn es dunkelt, lassen wir dich los:
Und deine kommenden Konturen dämmern.

Gott, du bist groß.

Was wirst du tun, Gott, wenn ich sterbe?
Ich bin dein Krug (wenn ich zerscherbe?)
Ich bin dein Trank (wenn ich verderbe?)
Bin dein Gewand und dein Gewerbe,
mit mir verlierst du deinen Sinn.

Nach mir hast du kein Haus, darin
dich Worte, nah und warm, begrüßen.
Es fällt von deinen müden Füßen
die Samtsandale, die ich bin.
Dein großer Mantel läßt dich los.
Dein Blick, den ich mit meiner Wange
warm, wie mit einem Pfühl, empfange,
wird kommen, wird mich suchen, lange —
und legt beim Sonnenuntergange
sich fremden Steinen in den Schoß.

Was wirst du tun, Gott? Ich bin bange.

Die Städte aber wollen nur das Ihre
und reißen alles mit in ihren Lauf.
Wie hohles Holz zerbrechen sie die Tiere
und brauchen viele Völker brennend auf.

Und ihre Menschen dienen in Kulturen
und fallen tief aus Gleichgewicht und Maß,
und nennen Fortschritt ihre Schneckenspuren
und fahren rascher, wo sie langsam fuhren,
und fühlen sich und funkeln wie die Huren
und lärmen lauter mit Metall und Glas.

Es ist, als ob ein Trug sie täglich äffte,
sie können gar nicht mehr sie selber sein;
das Geld wächst an, hat alle ihre Kräfte
und ist wie Ostwind groß, und sie sind klein
und ausgeholt und warten, daß der Wein
und alles Gift der Tier- und Menschensäfte
sie reize zu vergänglichem Geschäfte.

Der Panther

(Im Jardin des Plantes, Paris)

SEIN Blick ist vom Vorübergehn der Stäbe
so müd geworden, daß er nichts mehr hält.
Ihm ist, als ob es tausend Stäbe gäbe
und hinter tausend Stäben keine Welt.

Der weiche Gang geschmeidig starker Schritte,
der sich im allerkleinsten Kreise dreht,
ist wie ein Tanz von Kraft um eine Mitte,
in der betäubt ein großer Wille steht.

Nur manchmal schiebt der Vorhang der Pupille
sich lautlos auf —. Dann geht ein Bild hinein,
geht durch der Glieder angespannte Stille —
und hört im Herzen auf zu sein.

Der Schwan

DIESE Mühsal, durch noch Ungetanes
schwer und wie gebunden hinzugehn,
gleicht dem ungeschaffnen Gang des Schwanes.

Und das Sterben, dieses Nichtmehrfassen
jenes Grunds, auf dem wir täglich stehn,
seinem ängstlichen Sich-Niederlassen —:

in die Wasser, die ihn sanft empfangen
und die sich, wie glücklich und vergangen,
unter ihm zurückziehn, Flut um Flut;
während er unendlich still und sicher
immer mündiger und königlicher
und gelassener zu ziehn geruht.

Die Erblindende

SIE saß so wie die anderen beim Tee.
Mir war zuerst, als ob sie ihre Tasse
ein wenig anders als die andern fasse.
Sie lächelte einmal. Es tat fast weh.

Und als man schließlich sich erhob und sprach
und langsam und wie es der Zufall brachte
durch viele Zimmer ging (man sprach und lachte),
da sah ich sie. Sie ging den andern nach,

verhalten, so wie eine, welche gleich
wird singen müssen und vor vielen Leuten;
auf ihren hellen Augen, die sich freuten,
war Licht von außen wie auf einem Teich.

Sie folgte langsam, und sie brauchte lang,
als wäre etwas noch nicht überstiegen;
und doch: als ob, nach einem Übergang,
sie nicht mehr gehen würde, sondern fliegen.

Das Karussell

(*Jardin du Luxembourg*)

MIT einem Dach und seinem Schatten dreht
sich eine kleine Weile der Bestand
von bunten Pferden, alle aus dem Land,
das lange zögert, eh es untergeht.
Zwar manche sind an Wagen angespannt,
doch alle haben Mut in ihren Mienen;
ein böser roter Löwe geht mit ihnen
und dann und wann ein weißer Elefant.

Sogar ein Hirsch ist da ganz wie im Wald,
nur daß er einen Sattel trägt und drüber
ein kleines blaues Mädchen aufgeschnallt.

Und auf dem Löwen reitet weiß ein Junge
und hält sich mit der kleinen heißen Hand,
dieweil der Löwe Zähne zeigt und Zunge.

Und dann und wann ein weißer Elefant.

Und auf den Pferden kommen sie vorüber,
auch Mädchen, helle, diesem Pferdesprunge
fast schon entwachsen; mitten in dem Schwunge
schauen sie auf, irgendwohin, herüber —

Und dann und wann ein weißer Elefant.

Und das geht hin und eilt sich, daß es endet,
und kreist und dreht sich nur und hat kein Ziel.
Ein Rot, ein Grün, ein Grau vorbeigesendet,
ein kleines kaum begonnenes Profil.
Und manchesmal ein Lächeln, hergewendet,
ein seliges, das blendet und verschwendet
an dieses atemlose blinde Spiel.

Der Tod der Geliebten

E R wußte nur vom Tod, was alle wissen:
daß er uns nimmt und in das Stumme stößt.
Als aber sie, nicht von ihm fortgerissen,
nein, leis aus seinen Augen ausgelöst,

hinüberglitt zu unbekannten Schatten,
und als er fühlte, daß sie drüben nun
wie einen Mond ihr Mädchenlächeln hatten
und ihre Weise wohlzutun:

da wurden ihm die Toten so bekannt,
als wäre er durch sie mit einem jeden
ganz nah verwandt; er ließ die andern reden

und glaubte nicht und nannte jenes Land
das gutgelegene, das immersüße —.
Und tastete es ab für ihre Füße.

Nur wer die Leier schon hob
auch unter Schatten,
darf das unendliche Lob
ahnend erstatten.

Nur wer mit Toten vom Mohn
aß, von dem ihren,
wird nicht den leisesten Ton
wieder verlieren.

Mag auch die Spieglung im Teich
oft uns verschwimmen:
Wisse das Bild.

Erst in dem Doppelbereich
werden die Stimmen
ewig und mild.

Wir sind die Treibenden.
Aber den Schritt der Zeit,
nehmt ihn als Kleinigkeit
im immer Bleibenden.

Alles das Eilende
wird schon vorüber sein;
denn das Verweilende
erst weiht uns ein.

Knaben, o werft den Mut
nicht in die Schnelligkeit,
nicht in den Flugversuch.

Alles ist ausgeruht:
Dunkel und Helligkeit,
Blume und Buch.

ALLES Erworbne bedroht die Maschine, solange
sie sich erdreistet, im Geist, statt im Gehorchen, zu sein.
Daß nicht der herrlichen Hand schöneres Zögern mehr
    prange,
zu dem entschlossenern Bau schneidet sie steifer den Stein.

Nirgends bleibt sie zurück, daß wir ihr *ein* Mal entrönnen
und sie in stiller Fabrik ölend sich selber gehört.
Sie ist das Leben, — sie meint es am besten zu können,
die mit dem gleichen Entschluß ordnet und schafft und
    zerstört.

Aber noch ist uns das Dasein verzaubert; an hundert
Stellen ist es noch Ursprung. Ein Spielen von reinen
Kräften, die keiner berührt, der nicht kniet und bewundert.

Worte gehen noch zart am Unsäglichen aus . . .
Und die Musik, immer neu, aus den bebendsten Steinen,
baut im unbrauchbaren Raum ihr vergöttlichtes Haus.

Der Goldschmied

WARTE! Langsam! droh ich jedem Ringe
und vertröste jedes Kettenglied:
später, draußen, kommt das, was geschieht.
Dinge, sag ich, Dinge, Dinge, Dinge!
wenn ich schmiede; vor dem Schmied
hat noch keines irgendwas zu sein
oder ein Geschick auf sich zu laden.
Hier sind alle gleich, von Gottes Gnaden:
ich, das Gold, das Feuer und der Stein.

Ruhig, ruhig, ruf nicht so, Rubin!
Diese Perle leidet, und es fluten
Wassertiefen im Aquamarin.
Dieser Umgang mit euch Ausgeruhten
ist ein Schrecken: alle wacht ihr auf!
Wollt ihr Bläue blitzen? Wollt ihr bluten?
Ungeheuer funkelt mir der Hauf.

Und das Gold, es scheint mit mir verständigt;
in der Flamme hab ich es gebändigt,
aber reizen muß ichs um den Stein.
Und auf einmal, um den Stein zu fassen,
schlägt das Raubding mit metallnem Hassen
seine Krallen in mich selber ein.

O das Neue, Freunde, ist nicht dies,
daß Maschinen uns die Hand verdrängen.
Laßt euch nicht beirrn von Übergängen,
bald wird schweigen, wer das „Neue" pries.

Denn das Ganze ist unendlich neuer,
als ein Kabel und ein hohes Haus.
Seht, die Sterne sind ein altes Feuer,
und die neuern Feuer löschen aus.

Glaubt nicht, daß die längsten Transmissionen
schon des Künftigen Räder drehn.
Denn Äonen reden mit Äonen.

Mehr, als wir erfuhren, ist geschehn.
Und die Zukunft faßt das Allerfernste
ganz in eins mit unserm innern Ernste.

Magie

Aus unbeschreiblicher Verwandlung stammen
solche Gebilde —: Fühl! und glaub!
Wir leidens oft: zu Asche werden Flammen,
doch, in der Kunst: zur Flamme wird der Staub.

Hier ist Magie. In das Bereich des Zaubers
scheint das gemeine Wort hinaufgestuft . . .
und ist doch wirklich wie der Ruf des Taubers,
der nach der unsichtbaren Taube ruft.

ACH wehe, meine Mutter reißt mich ein.
Da hab ich Stein auf Stein zu mir gelegt,
und stand schon wie ein kleines Haus, um das sich
groß der Tag bewegt,
sogar allein.
Nun kommt die Mutter, kommt und reißt mich ein.

Sie reißt mich ein, indem sie kommt und schaut.
Sie sieht es nicht, daß einer baut.
Sie geht mir mitten durch die Wand von Stein.
Ach wehe, meine Mutter reißt mich ein.

Die Vögel fliegen leichter um mich her.
Die fremden Hunde wissen: das ist *der*.
Nur einzig meine Mutter kennt es nicht,
mein langsam mehr gewordenes Gesicht.

Von ihr zu mir war nie ein warmer Wind.
Sie lebt nicht dorten, wo die Lüfte sind.
Sie liegt in einem hohen Herz-Verschlag
und Christus kommt und wäscht sie jeden Tag.

THEODOR DÄUBLER

1876–1934

Schnee

NUN setzt der Schnee sich leicht wie Silberbienen
Sehr stumm auf jedes weggewelkte Blatt.
Da ist auf einmal auch der Mond erschienen,
Er überflügelt die gestirnte Stadt.

Den ersten Schnee erblicken Kinderaugen,
Dann schlafen bald die Kleinen strahlend ein.
Die Jüngsten träumen schon beim lieben Saugen,
Und was sie anweht, lächelt sanft und rein.

Von zarten Mullbehängen hoher Betten
Entflockt und lockert sich nun oft ein Stern,
Dann andre Sterne, die sich hold verketten,
Von solchen Dingern träumt das Kindlein gern.

Ein altes Weib voll Harm und weißen Haaren
Sitzt noch beim Rocken sorgenvoll und spinnt.
Es spinnt sich blind, kann nichts gewahren:
Der Mond ist fort. Obs nun zu schnein beginnt?

Vor grellen Fenstern und Laternen schwirrt es,
Die Silbermücken finden keine Rast.
Nun tönt Geklirr, die Stimme eines Wirtes.
Der erste Schlitten bringt den letzten Gast.

Das wirbelt, schwirbelt finster immer weiter,
Und kühler Schlaf besänftigt das Gemüt.
Auf einmal blicken trübe Träumer heiter,
Ein Schwerentschlummern hat sich ausgemüht.

Der Mond wird nimmer durch die Schleier blicken,
Die Silberblüten sinken viel zu dicht.
Ein Fieberschwacher weiß nicht einzunicken:
Es schneit auf seinen Leib und das Gesicht.

Der Schnee, der Schnee, es fallen kalte Spinnen
Auf eines Alten Bart und Lockenhaar,
Nun schneien selbst des Krankenbettes Linnen,
Den Fiebernden bedeckt sein Eistalar.

Die tiefste Milde legt sich in die Falten
Des Antlitzes: nun ist der Greis erstarrt:
Auch Träume Traumermüdeter erkalten.
Nun friert es gar. Der Schnee wird langsam hart.

Die Droschke

EIN Wagen steht vor einer finstern Schenke.
Das viele Mondlicht wird dem Pferd zu schwer.
Die Droschke und die Gassenflucht sind leer:
Oft stampft das Tier, daß seiner wer gedenke.

Es halten diese Mähre halb nur die Gelenke,
Denn an der Deichsel hängt sie immer mehr.
Sie baumelt mit dem Kopfe hin und her,
Daß sie zum Warten sich zusammenrenke.

Aus ihrem Traume scheucht sie das Gezänke
Und oft das geile Lachen aus der Schenke.
Da macht sie einen Schritt, zur Fahrt bereit.

Dann meint sie schlafhaft, daß sie heimwärtslenke,
Und hängt sich an sich selbst aus Schläfrigkeit,
Noch einmal poltern da die Droschkenbänke.

Herbst

DER erste Schnee liegt leuchtend auf den Bergen,
Die schwarzen Vögel wuchten funkelnd auf,
Die Welt wird ihren Schmerz nicht mehr verbergen.
Das Dasein silbert hin im Sterbenslauf.

Die Jäger knallen, was noch atmet, nieder.
Das tote Jahr vermacht uns einen Rausch,
Wir Menschen hoffen sinnlos immer wieder,
Der Wein umnebelt uns beim schlechten Tausch.

Der reife Herbst beginnt die Trauben zu durchblauen,
Der Wind verwebt in Wipfeln Licht und Liebe,
Die guten Blumen, die verwundert aufwärtsschauen,
Erzählen unsern Wunsch: wenn alles traumhaft bliebe!

Gib mir die Hand, Geduld, Geduld, wir werden warten.
Bemerkst du nicht, wie Blatt auf Blatt vom Himmel fällt?
Bestärke unsern Händedruck im Laubengarten:
Wir wollen warten, wenn Geduld uns fromm erhält.

Geduld, Geduld, wir halten dich mit weißen Händen.
Verwelkt und rot zerblättert das Kastanienlaub.
So warten wir, es steigt ein Stern aus Blätterwänden.
Der Wind ist weg, die Bäume werden taub.

Die Efeuranke

DER Efeu dort am gotischen Palaste
Verschlängelt sich zum marmornen Balkone:
Sein Schattenwesen gleicht einem Spione,
Den irgendwann ein Rachewunsch erfaßte.

Es ist, als ob er wachsend weitertaste,
Um klar zu werden, wer das Schloß bewohne,
Und ob sich dorthin ein Verrat verlohne:
Er winkt ja schon mit einem freien Aste!

Nun blickt der Mond um eine hohe Ecke;
Und sieh! ein Weib erscheint hinter den Scheiben;
Was hält es, bleich — verwelkt, an einem Flecke?

Der Efeu muß noch viele Zweige treiben,
Damit er seinen Kundschaftsweg vollstrecke;
Die Dinge sterben ab, die Rätsel bleiben.

ELSE LASKER-SCHÜLER

1876–1945

Die Liebe

Es rauscht durch unseren Schlaf
Ein feines Wehen wie Seide,
Wie pochendes Erblühen
Über uns beide.

Und ich werde heimwärts
Von deinem Atem getragen,
Durch verzauberte Märchen,
Durch verschüttete Sagen.

Und mein Dornenlächeln spielt
Mit deinen urtiefen Zügen,
Und es kommen die Erden
Sich an uns zu schmiegen.

Es rauscht durch unseren Schlaf
Ein feines Wehen wie Seide —
Der weltalte Traum
Segnet uns beide.

Weltende

Es ist ein Weinen in der Welt,
Als ob der liebe Gott gestorben wär,
Und der bleierne Schatten, der niederfällt,
Lastet grabesschwer.

Komm, wir wollen uns näher verbergen . . .
Das Leben liegt in aller Herzen
Wie in Särgen.

Du! wir wollen uns tief küssen —
Es pocht eine Sehnsucht an die Welt,
An der wir sterben müssen.

Gebet

ICH suche allerlanden eine Stadt,
Die einen Engel vor der Pforte hat.
Ich trage seinen großen Flügel
Gebrochen schwer am Schulterblatt
Und in der Stirne seinen Stern als Siegel.

Und wandle immer in die Nacht . . .
Ich habe Liebe in die Welt gebracht —
Daß blau zu blühen jedes Herz vermag,
Und hab ein Leben müde mich gewacht,
In Gott gehüllt den dunklen Atemschlag.

O Gott, schließ um mich deinen Mantel fest;
Ich weiß, ich bin im Kugelglas der Rest,
Und wenn der letzte Mensch die Welt vergießt,
Du mich nicht wieder aus der Allmacht läßt,
Und sich ein neuer Erdball um mich schließt.

Die Verscheuchte

ES ist der Tag im Nebel völlig eingehüllt,
Entseelt begegnen alle Welten sich —
Kaum hingezeichnet wie auf einem Schattenbild.

Wie lange war kein Herz zu meinem mild . . .
Die Welt erkaltete, der Mensch verblich.
— Komm bete mit mir — denn Gott tröstet mich.

Wo weilt der Odem, der aus meinem Leben wich?
Ich streife heimatlos zusammen mit dem Wild
Durch bleiche Zeiten träumend — ja, ich liebte dich . . .

Wo soll ich hin, wenn kalt der Nordsturm brüllt?
Die scheuen Tiere aus der Landschaft wagen sich
Und ich vor deine Tür, ein Bündel Wegerich.

Bald haben Tränen alle Himmel weggespült,
An deren Kelchen Dichter ihren Durst gestillt —
Auch du und ich.

Mein blaues Klavier

ICH habe zu Hause ein blaues Klavier
Und kenne doch keine Note.

Es steht im Dunkel der Kellertür,
Seitdem die Welt verrohte.

Es spielen Sternenhände vier
— Die Mondfrau sang im Boote —
Nun tanzen die Ratten im Geklirr.

Zerbrochen ist die Klaviatür . . .
Ich beweine die blaue Tote.

Ach liebe Engel öffnet mir
— Ich aß vom bitteren Brote —
Mir lebend schon die Himmelstür —
Auch wider dem Verbote.

RUDOLF BORCHARDT

1877–1945

Gesang im Dunkeln

DIESE Nacht in schattenhaften Wäldern
Lief ich hinter einer dunklen Rehe,
Da sie meinen Atem hörte, floh sie,
Blickte wild aus ihren schiefen Augen.

Wo sind Rosen, die ich brechen wollte?
Diese Hände sind so leer wie gestern,
Meine Sohlen sind bestaubt und blutend,
Meine Haare hangen voller Dornen.

Diese Nacht bei deinem Rosengarten
Riß, wie riß ich an den Eisengittern!
Fliederblätter faßt ich mit den Lippen!
Kalte Büsche stachen meine Wange.

Diese Nacht war wie die andern alle,
Heute Nacht wird sein wie alle Nächte,
Ich vergehe unter deinem Atem,
Ich zerreiße unter deinen Händen.

Zwischen Bäumen, Berg hinan die Felsen
Tanz ich hin wie eine Fackel brennend,
Sang ein Vogel fern, ich kann nicht hören,
Weint es hinter mir, ich weiß es nimmer.

Meine Ohren sind bedrängt von Schluchzen,
Nichts wie Tränen braust mirs vor den Augen,
Ich vergehe unter deinem Atem,
Ich zerreiße, wiß es, ich zerreiße!

Letzte Rosen

Dies sind die letzten; suche nicht nach mehr;
Ich suchte; doch ich fand nicht; Wind bricht ein,
Und Regen droht; der Himmel trüb und schwer
Hängt übers Land und löscht den letzten Schein.

Dies sind die letzten; voller Dornen hing,
Da ich sie nahm, mein Haar, doch nahm ich sie:
So riß ich Glück, ein hochauf rankend Ding
Aus Dornen, und ich bog vor dir das Knie,

Und bots hinauf, Duft für Minuten; o,
Vergiß das nicht: dies sind die letzten, heut
Schwermut der letzten Stunden duftet so,
Wie diese Kelche hängt, was uns gefreut,

Balsamisch bleich am überschwerten Stiel
Und gibt sich aufgetan im Tode preis
Dem ersten Blitz, der aus der Wolke fiel,
Entbunden, wie die Mutter ihres Schreis.

Frühling ist tot, und Sommer fährt herauf.
Mein Herz bleibt stehn, ich habe keine Luft;
Es muß geschehn, daß ohne mich sein Lauf
Sich schließt, wie er begann, mit diesem Duft.

HERMANN HESSE

1877–

Manchmal

MANCHMAL, wenn ein Vogel ruft
Oder ein Wind geht in den Zweigen
Oder ein Hund bellt im fernsten Gehöft,
Dann muß ich lange lauschen und schweigen.

Meine Seele flieht zurück,
Bis wo vor tausend vergessenen Jahren
Der Vogel und der wehende Wind
Mir ähnlich und meine Brüder waren.

Meine Seele wird ein Baum
Und ein Tier und ein Wolkenweben.
Verwandelt und fremd kehrt sie zurück
Und fragt mich. Wie soll ich Antwort geben?

Im Nebel

SELTSAM, im Nebel zu wandern!
Einsam ist jeder Busch und Stein,
Kein Baum sieht den andern,
Jeder ist allein.

Voll von Freunden war mir die Welt,
Als noch mein Leben licht war;
Nun, da der Nebel fällt,
Ist keiner mehr sichtbar.

Wahrlich, keiner ist weise,
Der nicht das Dunkel kennt,
Das unentrinnbar und leise
Von allen ihn trennt.

Seltsam, im Nebel zu wandern!
Leben ist Einsamsein.
Kein Mensch kennt den andern,
Jeder ist allein.

Vergänglichkeit

VOM Baum des Lebens fällt
Mir Blatt um Blatt,
O taumelbunte Welt,
Wie machst du satt,
Wie machst du satt und müd,
Wie machst du trunken!
Was heut noch glüht,
Ist bald versunken.
Bald klirrt der Wind
Über mein braunes Grab,
Über das kleine Kind
Beugt sich die Mutter herab.

Ihre Augen will ich wiedersehn,
Ihr Blick ist mein Stern,
Alles andre mag gehn und verwehn,
Alles stirbt, alles stirbt gern.
Nur die ewige Mutter bleibt,
Von der wir kamen,
Ihr spielender Finger schreibt
In die flüchtige Luft unsre Namen.

An die Melancholie

ZUM Wein, zu Freunden bin ich dir entflohn,
Da mir vor deinem dunklen Auge graute,
In Liebesarmen und beim Klang der Laute
Vergaß ich dich, dein ungetreuer Sohn.

Du aber gingest mir verschwiegen nach
Und warst im Wein, den ich verzweifelt zechte,
Warst in der Schwüle meiner Liebesnächte
Und warest noch im Hohn, den ich dir sprach.

Nun kühlst du die erschöpften Glieder mir
Und hast mein Haupt in deinen Schoß genommen,
Da ich von meinen Fahrten heimgekommen:
Denn all mein Irren war ein Weg zu dir.

Zu spät

DA ich in Jugendnot und Scham
Zu dir mit leiser Bitte kam,
Hast du gelacht
Und hast aus meiner Liebe
Ein Spiel gemacht.

Nun bist du müd und spielst nicht mehr,
Mit dunklen Augen blickst du her
Aus deiner Not,
Und willst die Liebe haben,
Die ich dir damals bot.

Ach, die ist lang verglommen
Und kann nicht wiederkommen —
Einst war sie dein!
Nun kennt sie keine Namen mehr
Und will alleine sein.

HANS CAROSSA

1878–1956

Der alte Brunnen

LÖSCH aus dein Licht und schlaf! Das immer wache
Geplätscher nur vom alten Brunnen tönt.
Wer aber Gast war unter meinem Dache,
Hat sich stets bald an diesen Ton gewöhnt.

Zwar kann es einmal sein, wenn du schon mitten
Im Traume bist, daß Unruh geht ums Haus,
Der Kies beim Brunnen knirscht von harten Tritten,
Das helle Plätschern setzt auf einmal aus,

Und du erwachst, — dann mußt du nicht erschrecken!
Die Sterne stehn vollzählig überm Land,
Und nur ein Wandrer trat ans Marmorbecken,
Der schöpft vom Brunnen mit der hohlen Hand.

Er geht gleich weiter, und es rauscht wie immer.
O freue dich, du bleibst nicht einsam hier.
Viel Wandrer gehen fern im Sternenschimmer,
Und mancher noch ist auf dem Weg zu dir.

RUDOLF ALEXANDER SCHRÖDER
1878–

Die Muse

SCHWÄCHEN besitzen die Himmlischen auch. Die Muse
vor allen
Führt, wo sie Gast ist, gern selber beständig das Wort.
Heute besuchte sie mich. Mir war, als spürt ich das
Schwirren
Göttlicher Schwingen und leis über der Braue den Kuß.
Aber o weh, zum Fenster herein, welch höllischer Lärmen,
Ratternder Karren Gedröhn, Pfeifen und Peitschen und
Horn!
Der stellt Bohnen zum Kauf, der Kirschen, Mispeln und
Erdbeern,
Der Schuhbänder, es schreit jeglicher, was er vermag.
Zeitungen brüllt's von der Gasse herauf, und flieh ich nach
hinten,
Gegen den Hof, so rauscht droben vom Söller Musik
Unablässigen Stroms. Ihr würgt mir, eiserne Finger,
Trillernd, erbarmungslos jeden Gedanken und Reim.
Schließ ich die Fenster, verhänge die Tür, so muß ich
ersticken,
Öffn ich die Läden, beginnt gleich der melodische Mord.

Mensch, was hilft es, wenn ich gestehn muß, daß du nicht
schlecht spielst,
Daß du dem morschen Klavier Läufe wie Perlen ent-
lockst,
Daß du sogar — o Wunder! — in Rom nur deutsche Musik
machst!
In meine Verse hinein brandet der rhythmische Sturm.
Trümmer und Schiffbruch rings! Entsetzlicher, schweige!
Zum Alpdruck
Schufst du die freundlichen mir, Mozart und Schubert
und Bach.

Bleib ich? Versuch ich's, den Finger im Ohr? Mir schwanken
    die Sinne;
  Weh! Denn es mischt sich nun quäkend die Fiedel hinein.
Immer das gleiche, das alberne Stück! Da! Gegen die Mitte
    Stümpert der Geiger wie stets; und sie beginnen von
    vorn.
Hilflos ball ich die Faust und ruf euch, Götter, vergebens;
  Schaut ihr doch schadenfroh Schwester mit Schwester im
    Kampf.
Hebt die Gewaltige dort zum Mund die gelle Drommete,
  Sinkt der Bescheidenen hier kraftlos der Griffel aufs Buch.
Freilich was soll's? Und wehte sie mir unsterblichen Atems
  Lieder Petrarcas zu, sänge dem lauschenden Sohn
Iliaden ins Ohr und Odysseen, es bliebe
  Zwecklos. Alles verschlingt tobend der grause Tumult.
Schon verläßt die Grollende mich. Leb wohl und verzeih mir
  Im unwirtlichen Haus, Ärmste, den schlechten Empfang!
Nächstens ziehn wir aufs Land. Im Schutz der Schatten-
    gebüsche,
  Ruhend im Grünen, am Rand reinen, belebenden Quells,
Fromm im Frieden freier Natur erwart ich dich wieder. —
  Ihr auch, Meister, verzeiht, wenn euch der Eifer geflucht.
Wißt ihr's, Herrliche, doch, wie stets von den Tagen der
    ersten
  Dämmernden Jugend an ihr mir die heiligen wart,
Gipfel des Vaterlands! — Doch auch das Heilige fordert
  Richtigen Dienst. Und wenn Gassen und Märkte
    hindurch
Irgendein Narr vorlaut dem Pöbel predigt am Alltag,
  Wird mit ihm selber zugleich, was er verkündet, ein Spott.

    BALD kommt der Frühling wieder, bald, o bald;
    Denn jetzt ist Herbst, bald wird es Winter sein. —
    Dann sind wir machtlos, Winter zwängt uns ein,
    Uns und die klare Flut, den dunklen Wald.

Dann sagt die Nacht: Ich will alleine sein;
Dann sagt die Kälte: Sonne selbst ist kalt.
Und so verzerrt sich jegliche Gestalt
Des holden Lebens. Leben schlummert ein.

Und schlummert wie die Träne, nicht geweint,
Wie Seufzer, nicht geseufzt, Wort, nicht gesagt,
Schrei, nicht geschrien, und Klage, nicht geklagt:

All das, was leblos, was beruhigt scheint,
Schläft wie das Winterwasser unterm Eis
Hinter der Lippe, die zu lächeln weiß.

Von ungefähr

DEN ich gespürt
Von ungefähr,
Hauch, der mich rührt,
Wohin, woher?

Hauchst du mir, Mund,
Aus totem Land,
Tust du mir kund,
Was auferstand?

Sprichst mir von dem,
Das längst verscholl,
Das wiederkäm,
Das werden soll?

Siet ich's gespürt,
Blüht all mein Sinn;
Hauch, der mich führt,
Woher, wohin?

So weh den Ländern, weh den Städten!
Zu lang schon habt ihr übertreten,
   Nun hat der Herr sich abgewandt.
Er läßt sein Antlitz nicht mehr schauen,
Läßt euch allein den Acker bauen,
   Und euch verhöhnt der dürre Sand.
   Versucht den Stein am Weg, versucht,
Was unter Dornen aufgeschossen:
Das gute Land bleibt euch verschlossen,
   Das Weizenkorn bringt keine Frucht.
   Nur geiles Unkraut nimmt Gestalt,
   Besamet sich, wächst tausendfalt.

Ihr machtet euch mit Knechts Gebärden
Zu Herrn und Obersten der Erden;
   Gewahret nun: die Kraft versagt.
Sagt nicht, es hat euch ungewarnet
Der Jäger im Gehölz umgarnet,
   Der Fischer in sein Netz gejagt.
   Euch hat der fromme Botenruf
Nur euren Bettelstolz gesteigert,
Ihr habt dem Wort des Herrn verweigert
   Das Ohr, das er zum Hören schuf,
   Und steht nun da und mault und greint
   Und lügt: So war es nicht gemeint.

Lügt fort, lügt weiter bis ans Ende;
Bald macht der Zeiten Ziel und Wende
   Euch Aug und Sinnen übergehn.
Dann sprecht: Fallt über uns, ihr Hügel,
Ihr Morgenröten, gebt uns Flügel!
   Nackt müßt ihr vor dem Richter stehn.
   Die Finsternis, der ihr vertraut,
Der Abergott, dem ihr gepflichtet,
Hat euch durch euer Werk gerichtet,
   Davor euch endlich selber graut.

Umsonst Gewinsel und Gebet,
Nun euch die Antwort wird: Zu spät.

Zu spät! Das Wort schlägt ins Gewissen.
Wer fühlt sich nicht hinabgerissen
   Im Sturz, der allem Frevel lohnt?
Wer spräch: Ich bin allein entschuldet?
Gott hat sich eine Zeit geduldet,
   Nun trifft der Blitz, der keinen schont.
   Zu spät: das ist ein harter Schluß,
Hat uns von allem Trost geschieden;
Und droben sitzt in Gottes Frieden,
   Den wir gespottet, Lazarus.
   Kein Tropfen Wassers, der euch letzt.
   Ihr tranket satt, so dürstet jetzt.

Noch immer steinigt ihr Propheten,
Laßt Abel für den Mörder beten:
   Vergib, er weiß nicht, was er tat.
Vergib, vergib! Wir flehn im Staube! —
Du hast verheißen, spricht der Glaube,
   Wer Buße tut, der findet Rat!
   Gib Rat, gib Gnad, mach uns gewiß.
Laß uns mit dir gekreuzigt hangen,
Und schenk dem reuigen Verlangen
   Am Holz des Schächers Paradies!
   Dann führ den Jüngsten Tag herein:
   Uns soll's ein Tag der Freude sein.

Schöne Agnete

ALS Herrn Ulrichs Wittib in der Kirche gekniet,
Da klang vom Kirchhof herüber ein Lied.
Die Orgel droben hörte auf zu gehn,
Die Priester und die Knaben, alle blieben stehn,
Es horchte die Gemeinde, Greis, Kind und Braut,
Die Stimme draußen sang wie die Nachtigall so laut:

„Liebste Mutter in der Kirche, wo des Mesners Glöcklein
    klingt,
Liebe Mutter, hör wie draußen deine Tochter singt,
Denn ich kann ja nicht zu dir in die Kirche hinein,
Denn ich kann ja nicht mehr knieen vor Mariens Schrein,
Denn ich hab ja verloren die ewige Seligkeit,
Denn ich hab ja den schlammschwarzen Wassermann
    gefreit.

Meine Kinder spielen mit den Fischen im See,
Meine Kinder haben Flossen zwischen Finger und Zeh,
Keine Sonne trocknet ihrer Perlenkleidchen Saum,
Meiner Kinder Augen schließt nicht Tod noch Traum — —

Liebste Mutter, ach ich bitte dich,
Liebste Mutter, ach ich bitte dich flehentlich,
Wolle beten mit deinem Ingesind
Für meine grünhaarigen Nixenkind,
Wolle beten zu den Heiligen und zu Unsrer Lieben Frau
Vor jeder Kirche und vor jedem Kreuz in Feld und Au!
Liebste Mutter, ach ich bitte dich sehr,
Alle sieben Jahre einmal darf ich Arme nur hierher.
Sage du dem Priester nun
Er soll weit auf die Kirchentüre tun,

Daß ich sehen kann der Kerzen Glanz,
Daß ich sehen kann die güldene Monstranz,
Daß ich sagen kann meinen Kinderlein
Wie so sonnengolden strahlt des Kelches Schein!"

Die Stimme schwieg.
            Da hub die Orgel an,
Da ward die Türe weit aufgetan, —
Und das ganze heilige Hochamt lang
Ein weißes weißes Wasser vor der Kirchentüre sprang.

Der Dom

DER erste Laut, der an mein Ohr hier drang,
War Deiner Sonntagsglocken Lobgesang.
An Deiner Tür, an Deiner Mauern Wucht,
Hab meine ersten Schritte ich versucht,
Und Deiner alten Linden Süßigkeit
Wies Frühling mir und Sommerseligkeit.

Aus Deiner Pforte schritt im Kerzenglanz
Jugend und Glück im grünen Myrtenkranz,
Vor düstrem Altargold, aus Deinem Tor,
Schwankte so still des Priesters Sarg hervor,
In Deiner Orgel süßen Engelsang
Wie Lämmchenruf des Täuflings Weinen klang.

Du zeigtest, schirmend meine Kinderzeit,
Im Gleichnis Leben mir und Ewigkeit,
Und Deiner Uhr geduldiger Stundenschlag
Geleitete mein Werden, Tag um Tag,
Und gab Gewißheit mir in dunkler Nacht.
Von einer Liebe, die für alle wacht.

.   .   .   .

Als Euch der Feuersturm verschlungen hat,
Da starbst Du, Dom, mit Deiner alten Stadt.
Du hast ihr noch mit glühenden Glockenzungen,
Aus stürzendem Haupt den Sterbepsalm gesungen.

Insel des Grauens, wurde leer von Leben,
Was Deinen Kindern Heim und Brot gegeben.
Gruft über Grüften standest Du, schwarz und kahl,
Als ich Dich weinend sah zum letztenmal.
Du liegst wie Jugend, unerreichbar weit.
Doch auf dem Goldgrund jeder Weihnachtszeit
Blickst Du im Schmuck der grünen Lichterbäume,
Ein Gnadenbild, in meine Flüchtlingsträume.
Und wieder seh ich alles, wie es war:
Vor dunklem Chor goldfunkelnd den Altar,
An strengem Pfeiler reicher Kanzel Prunk,
Der bunten Bogen hochgewölbten Schwung,
Den Orgelchor, wo ich als Kind gesungen,
Glühend vor Glück „Es ist ein' Ros entsprungen, —"
Und keine Nacht verlöscht in meinem Herzen
Den Friedensschimmer Deiner Altarkerzen!

KONRAD WEISS

1880–1940

Der Sämann

Was tu ich, sprach der Sämann, der
mit Schritten lang den Acker trat,
das Tuch geknotet schulterquer,
den linken Arm in weiße Wat
gleich einem tauben Stumpf gehüllt,
da er dem Herzen nah die Hand mit Körnern füllt.

Nun streut er Körner bogenhin,
nun seines Wegs geradefort,
mit Schritten stark, als trage ihn
die Hüfte leicht, doch leicht verdorrt,
zur Erde wechselnd eingeknickt,
nun spricht er, während er die Hand des Weges schickt:

Was tu ich, der von diesem Feld
mit Armen leer und müde bald
hinabgeht, der das Korn bestellt,
in Halmen wird die Saat Gestalt
und steht dann hier in Ähren schwer
so andern Wuchses, als der geht darüber her,

der wie gefesselt Hand und Fuß,
und wie er Arm und Kniee schwingt,
sich wie zum Streit verteilen muß
und leichter wird und schwerer ringt,
der fortgetrieben alle Zeit
den Bann zerbricht und härter wird im harten Streit.

Und wie er fort zum Ende rückt,
mit leichter Wat, doch schwerem Mut,
den Kopf nun aus der Schlinge bückt,
er weiß nicht, was so leicht ihm tut,
sieht er am Baum den harten Ast,
den eingeknickten Stumpf gehüllt in Blüten fast.

ANTON WILDGANS

1881–1932

Die Frau des Alternden

Es ist nicht mehr wie in den ersten Jahren,
da sie einander liebten, überreich.
Ein Frühherbstschimmer, wie der Reif so bleich,
ruht heute schon auf seinen müden Haaren,
doch sie blieb unversehrt und mädchengleich.

Und immer noch, wenn sie auf Wiesen gehen,
und sie sich eng an seine Schulter lehnt,
weiß er, daß sie nichts anderes ersehnt
als dies: mit ihm auf ihren jungen Zehen
durchs Land zu schreiten, das sich blühend dehnt.

Da ist sie noch ganz sein, auch in den Nächten,
wenn schwerer Duft von dunkeln Beeten weht,
und seiner Inbrunst, die schon fast Gebet,
begegnet sie im Golde loser Flechten
und gibt ihm reicher, als er selbst erfleht.

Doch wenn des Abends einmal Geigen klingen
und ihr geschmeidig schlanke Tänzer nahn,
da sieht sie ihn so fremd und fragend an,
und plötzlich ist sie voll von fernen Dingen,
wie einem andern Zauber aufgetan.

Und wenn sie dann aus heiß-erfühlten Armen
zu ihm zurückkehrt, der so sehr allein,
hat sie ein Lächeln, heimlich, kühl und fein,
und Blicke voll verschwiegenem Erbarmen
und Worte wie Verzichten und Verzeihn.

PAUL ZECH

1881–1946

Fabrikstraße tags

NICHTS als Mauern. Ohne Gras und Glas
zieht die Straße den gescheckten Gurt
der Fassaden. Keine Bahnspur surrt.
Immer glänzt das Pflaster wassernaß.

Streift ein Mensch dich, trifft sein Blick dich kalt
bis ins Mark; die harten Schritte haun
Feuer aus dem turmhoch steilen Zaun,
noch sein kurzes Atmen wolkt geballt.

Keine Zuchthauszelle klemmt
so in Eis das Denken, wie dies Gehn
zwischen Mauern, die nur sich besehn.

Trägst du Purpur oder Büßerhemd —:
immer drückt mit riesigem Gewicht
Gottes Bannfluch: *uhrenlose Schicht.*

Das Grubenpferd

So schwarz weint keine Nacht am schwarzen Gitter
wie in dem schwarzen Schacht das blinde Pferd.
Ihm ist, als ob die Wiese, die es bitter
in jedem Heuhalm schmeckt, nie wiederkehrt.

Es wittert durch das schwarze Fleisch der Steine
den Tod und sieht ihn mit den toten Augen an,
und ist mit ihm die ganze Nacht alleine
und geht nur widerwillig ins Gespann.

Der Knabe, der es durch die Gänge treibt,
will es mit Brot und Zucker fröhlich machen.
. . . Es kann nicht mehr wie andere Pferde lachen.
In seinen Augen wurmt die Nacht und bleibt.

Nur manchmal, wenn mit dem Geruch von Laub
waldfrisches Holz nach unten wird gefahren —:
hebt es den Kopf und beißt sich in den Haaren
des Knaben fest und stampft ihn in den Staub.

Und rast durch schwarzer Schächte Labyrinth
und stürzt im Fliehn die steile Felsentreppe
herab und wiehert durch die grüne Steppe,
auf der die toten Pferde mächtig sind.

HUGO ZUCKERMANN

1881–1914

Reiterlied

DRÜBEN am Wiesenrand
Hocken zwei Dohlen —
Fall' ich am Donaustrand?
Sterb' ich in Polen?
Was liegt daran?
Eh' sie meine Seele holen,
Kämpf' ich als Reitersmann.

Drüben am Ackerrain
Schreien zwei Raben —
Werd' ich der erste sein,
Den sie begraben?
Was ist dabei?
Viel Hunderttausend traben
In Öst'reichs Reiterei.

Drüben im Abendrot
Fliegen zwei Krähen —
Wann kommt der Schnitter Tod,
Um uns zu mähen?
Es ist nicht schad'!
Seh' ich nur unsere Fahnen wehen
Auf Belgerad!

WILHELM LEHMANN

1882–

Altjahrsabend

Aus der durchhöhlten Rübe springt die Maus.
Der steife Wind zwingt das Holunderblatt
    zu tagelangem Purzelbaum —
Die leere Rübenbacke klafft,
Die Tauben peitscht der Wind ans Haus.

Den Bauernpferden wächst das Haar wie Moos so dicht.
Das Jahr geht hin. Kein Anfang ist und Ende nicht.
Die Eichel fällt — die Einsamkeit erschrickt, und Öde
    schluckt den Ton,
Sie schluckt auch meiner Sohle Lärmen,
    sie vergaß mich schon.

Im Winter zu singen

Die Jäger spannen die Tellereisen,
Die Füchse entwischen.
Der Südost nietet die letzte Spalte
Über Aalen und Fischen.

Aus Lappland flogen die roten Drosseln,
Ihre Stimme fällt weich wie Schnee;
Kein Messer schneidet den Schlaf der Erde,
Auch der Maulwurf tut ihr nicht weh.

In weiser Ohnmacht werden die Larven
Für andere Zeit bewahrt.
Den trächtigen Schafen wächst das Euter,
Den Ziegenböcken der Bart.

WILHELM LEHMANN

Ahnung im Januar

MÜNCHHAUSENS Horn ist aufgetaut,
Zerbrochene Gefangenschaft!
Erstarrter Ton wird leise laut,
In Holz und Stengel treibt der Saft.

Dem Anruf als ein Widerhall,
Aus Lehmesklumpen, eisig, kahl,
Steigt Ammernleib, ein Federball,
Schon viele Male, erstes Mal!

Ob Juniluft den Stier umblaut,
Den Winterstall ein Wald durchlaubt?
Ist es Europa, die ihn kraut?
Leicht richtet er das schwere Haupt.

So warmen Fußes, Sommergeist,
Daß unter dir das Eis zerreißt —
Verheißung, und schon brenne ich,
Erfüllung, wie ertrag ich dich?

MAX MELL

1882–

Der milde Herbst von Anno 45

ICH Uralter kanns erzählen,
Wie der Herbst durch jenes Jahr
Wie ein Strom rann und ein Spiegel
Hundert Abendröten war.

An Obstbäumen lehnten Leitern,
Knackten unter Eil und Fleiß,
Und die Kinder schmausten immer,
Und die Kranken lachten leis.

Auf dem Boden rochs nach Äpfeln,
In den Kellern feucht nach Wein,
Und wer eine Sense hatte,
Dem fiel doch der Tod nicht ein.

War ein Herbst so lang wie jeder;
Sonne sinkt und Stunde schlägt;
Doch an jedes Leben, schien uns,
War ein Kleines zugelegt.

ALFONS PETZOLD

1882–1923

Die Teilnahmslosen

DA stehen sie und regen schwer die Glieder
in den durchdampften Räumen der Fabrik.
Ein jeder senkt auf seine Arbeit nieder
den noterstarrten, teilnahmslosen Blick.

Sie sind nicht Menschen mehr, sind nur Maschinen,
die in dem vorgeschrieb'nen Stundenkreis
sich drehen müssen, ohne daß von ihnen
nur einer seine Kraft zu schätzen weiß.

Sie können nimmer ihre Hände spannen
nach ihrer Tage mühevollem Tun
um eigne Werke; was sie je begannen,
muß halbvollendet tot im Dunkel ruhn.

Sie schaffen abertausend Gegenstände,
sie machen viele Dinge stark und groß;
doch ist nicht Gott im Regen ihrer Hände,
und was von ihnen kommt, ist seelenlos.

Kameraden

TIEF, tief in mir lebt zärtlichstes Verstehn
für alle jene, die im Dunkel gehn.

Ob sie der Armut dünnes Hemd umschmiegt
und sich ihr Röckchen unter Lasten biegt;

ob sie der Reichtum wie ein Wall umspannt,
den Ausblick wehrend in das Sonnenland;

ob arm, ob reich, wenn sie nur suchend gehn
nach einem Lichte, kann ich sie verstehn,

denn ihre Wege durch die Nächte hin,
sie gleichen dem, den ich gegangen bin.

ERNST STADLER

1883–1914

Worte

MAN hatte uns Worte vorgesprochen,
  die von nackter Schönheit und Ahnung
  und zitterndem Verlangen übergiengen.
Wir nahmen sie, behutsam wie fremdländische Blumen,
  die wir in unsrer Knabenheimlichkeit aufhiengen.
Sie versprachen Sturm und Abenteuer,
  Überschwang und Gefahren und todgeweihte Schwüre —
Tag um Tag standen wir und warteten,
  daß ihr Abenteuer uns entführe.
Aber Wochen liefen kahl und spurlos,
  und nichts wollte sich melden, unsre Leere fortzutragen.
Und langsam begannen die bunten Worte zu entblättern.
  Wir lernten sie ohne Herzklopfen sagen.

Und die noch farbig waren, hatten sich von Alltag
    und allem Erdwohnen geschieden:
Sie lebten irgendwo verzaubert auf paradiesischen Inseln
    in einem märchenblauen Frieden.
Wir wußten:
    sie waren unerreichbar wie die weißen Wolken,
    die sich über unserm Knabenhimmel vereinten,
Aber an manchen Abenden geschah es,
    daß wir heimlich und sehnsüchtig
    ihrer verhallenden Musik nachweinten.

Form ist Wollust

FORM und Riegel mußten erst zerspringen,
Welt durch aufgeschlossne Röhren dringen:
Form ist Wollust, Friede, himmlisches Genügen,
Doch mich reißt es, Ackerschollen umzupflügen.
Form will mich verschnüren und verengen,
Doch ich will mein Sein in alle Weiten drängen —
Form ist klare Härte ohn' Erbarmen,
Doch mich treibt es zu den Dumpfen, zu den Armen,
Und in grenzenlosem Michverschenken
Will mich Leben mit Erfüllung tränken.

Der Aufbruch

EINMAL schon haben Fanfaren
    mein ungeduldiges Herz blutig gerissen,
Daß es, aufsteigend wie ein Pferd,
    sich wütend ins Gezäum verbissen.
Damals schlug Tambourmarsch
    den Sturm auf allen Wegen,
Und herrlichste Musik der Erde
    hieß uns Kugelregen.

Dann, plötzlich, stand Leben stille.
Wege führten zwischen alten Bäumen.
Gemächer lockten.
Es war süß, zu weilen und sich versäumen,
Von Wirklichkeit den Leib
so wie von staubiger Rüstung zu entketten,
Wollüstig sich in Daunen
weicher Traumstunden einzubetten.
Aber eines Morgens
rollte durch Nebelluft das Echo von Signalen,
Hart, scharf, wie Schwerthieb pfeifend. Es war
wie wenn im Dunkel plötzlich Lichter aufstrahlen.
Es war wie wenn durch Biwakfrühe
Trompetenstöße klirren,
Die Schlafenden aufspringen und die Zelte abschlagen
und die Pferde schirren.
Ich war in Reihen eingeschient,
die in den Morgen stießen, Feuer über Helm und Bügel,
Vorwärts, in Blick und Blut die Schlacht,
mit vorgehaltnem Zügel.
Vielleicht würden uns
am Abend Siegesmärsche umstreichen,
Vielleicht lägen wir irgendwo ausgestreckt
unter Leichen.
Aber vor dem Erraffen
und vor dem Versinken
Würden unsre Augen sich an Welt und Sonne satt
und glühend trinken.

Winteranfang

DIE Platanen sind schon entlaubt. Nebel fließen.
Wenn die Sonne einmal durch den Panzer
grauer Wolken sticht,
Spiegeln ihr die tausend Pfützen
ein gebleichtes runzliges Gesicht.

Alle Geräusche sind schärfer. Den ganzen Tag über
    hört man in den Fabriken die Maschinen gehn —
So tönt durch die Ebenen der langen Stunden
    mein Herz und mag nicht stille stehn
Und treibt die Gedanken
    wie surrende Räder hin und her,
Und ist wie eine Mühle mit windgedrehten Flügeln,
    aber ihre Kammern sind leer:
Sie redet irre Worte in den Abend
    und schlägt das Kreuz. Schon schlafen die Winde ein.
    Bald wird es schnei'n,
Dann fällt wie Sternenregen weißer Friede
    aus den Wolken und wickelt alles ein.

Meer

ICH mußte gleich zum Strand.
    In meinem Blute scholl
Schon Meer. O schon den ganzen Tag. Und jetzt die Fahrt
    im gelbumwitterten Vorfrühlingsabend. Rastlos schwoll
Es auf und reckte sich in einer jähen frevelhaften Süße,
    wie im Spiel
Sich Geigen nach den süßen Himmelswiesen recken.
    Dunkel lag der Kai. Nachtwinde wehten. Regen fiel . . .
Die Böschung abwärts . . . durch den Sand . . . zu dir,
    du Flut und Wollust schwemmende Musik,
Du treibend Glück, du Orgellied, bräutlicher Chor!
    Zu meinen Füßen
Knirschen die Muscheln . . . weicher Sand . . .
    wie Seidenmatten weich . . . ich will dich grüßen,
Du lang Entbehrtes! O der Salzgeschmack,
    wenn ich die Hände, die der Schaum bespritzte,
    an die Lippen hebe . . .
Viel Dunkles fällt. Es springen Riegel. Bilder steigen.
    Um mich wird es rein. Ich schwebe

Durch Felder tiefer Bläue.
　Viele Tag' und Nächte bauen
Sich vor mich hin wie Träume. Fern Verschollnes.
　Fahrten übers Meer, durch Sternennächte.
　Durch die Nebel. Morgengrauen
Bei Dover . . . blaues Geisterlicht um Burg
　und Shakespeare's-Cliff, die sich der Nacht entraffen,
Und blaß gekerbte Kreidefelsen, die wie Kiefer
　eines toten Ungeheuers klaffen.
Sternhelle Nacht weit draußen auf der Landungsbrücke,
　wo die Wellen
Wie vom Herzfeuer ihrer Sehnsucht angezündet,
　Funken schleudernd, an den braunen Bohlen
　sich zerschellen.
Und blauer Sommer: Sand und Kinder. Bunte Wimpel.
　Sonne überm Meer,
　das blüht und grünt wie eine Frühlingsau.
Und Wanderungen, fern an Englands Strand,
　mit der geliebten Frau.
Und Mitternacht im Hafen von Southampton:
　schwer verhängte Nacht,
　darin wie Blut das Feuer der Kamine loht,
Und auf dem Schiff der Vater . . .
　langsam bricht es in das Schwarz, nach Frankreich zu . . .
　und wenig Monde später war er tot . . .
Und immer diese endlos hingestreckten Horizonte.
　Immer dies Getön:
　frohlockender und kämpfender Choral —
Du jedem Traum verschwistert!
　Du in jeder Lust und jeder Qual!
Du Tröstendes! Du Sehnsucht Zeugendes!
　In dir verklärt
Sich jeder Wunsch, der in die Himmel
　meiner Schicksalsfernen fährt,
Und jedes Herzensheimweh nach der Frau,
　die jetzt im hingewühlten Bette liegt

Und leidet, und zu der mein Blut wie eine Möwe,
heftige Flügel schlagend, fliegt.
Du Hingesenktes, Schlummertiefes!
Horch, dein Atem sänftigt meines Herzens Schlag!
Du Sturm, du Schrei,
aufreißend Hornsignal zum Kampf,
du trägst auf weißen Rossen mich zu Tat und Tag!
Du Rastendes!
Du feierlich Bewegtes, Nacktes, Ewiges!
Du hältst die Hut
Über mein Leben, das im Schachte
deines Mutterschoßes eingebettet ruht.

JAKOB VAN HODDIS

1884–[?]

Weltende

Dem Bürger fliegt vom spitzen Kopf der Hut,
In allen Lüften hallt es wie Geschrei.
Dachdecker stürzen ab und gehn entzwei,
Und an den Küsten — liest man — steigt die Flut.

Der Sturm ist da, die wilden Meere hupfen
An Land, um dicke Dämme zu zerdrücken.
Die meisten Menschen haben einen Schnupfen.
Die Eisenbahnen fallen von den Brücken.

OSKAR LOERKE

1884–1941

Hinter dem Horizont

MEIN Schiff fährt langsam, sein Alter ist groß,
Algen, Muscheln, Moos,
Der Kot des Meeres hat sich angesetzt.
Eine bunte Insel, fast steht es zuletzt.

Soll ich noch fahren? Ich fahre nicht mehr.
Aber alle Dinge kommen,
Kontinente, frachtenschwer
Nun wie fremde Schiffe zu mir geschwommen.

Vorbei ist der Menschen feste Küste
Wie der Donner im Winter;
Übriggeblieben im Gewölke
Der prophetische Vogelflug.

Steigender, stürzender Völker beharrendes Bild!
Soviel Blut und soviel Leid!
Und alles, was da gilt,
Geschieht doch in der Einsamkeit.

Der Silberdistelwald

MEIN Haus, es steht nun mitten
Im Silberdistelwald.
Pan ist vorbeigeschritten.
Was stritt, hat ausgestritten
In seiner Nachtgestalt.

Die bleichen Disteln starren
Im Schwarz, ein wilder Putz.
Verborgne Wurzeln knarren:
Wenn wir Pans Schlaf verscharren,
Nimmt niemand ihn in Schutz.

Vielleicht, daß eine Blüte
Zu tiefer Kommunion
Ihm nachfiel und verglühte:
Mein Vater du, ich hüte,
Ich hüte dich, mein Sohn.

Der Ort liegt waldinmitten,
Von stillstem Licht gefleckt.
Mein Herz — nichts kam geritten,
Kein Einhorn kam geschritten —
Mein Herz nur schlug erweckt.

Paradies

ER schritt im Schlendergang und stieß
Auf Knochen eines Kolibris,
Der sich vom Baum den Bissen nahm
Zur Zeit, bevor die Sintflut kam.

Es scholl so fern wie schlafgedacht:
Du mußt nun durch die Wassernacht!
Und er schritt hinter dem Befehl
Wie durch das Schilfmeer Israel.

Und jenseits klomm er lange fort —
Verdorrte Zeit stand unverdorrt,
Des Lebens Ton schien alt betont
Und längst auf Erden eingewohnt.

Nur, nirgend waren Menschen da,
Bis er sich selber leiblich sah,
Zum Grund gebückt im Paradies
Auf alte Knöchlein eines Kolibris.

Die ehrwürdigen Bäume/Die Geister

RIESIGE Wesen, seherisch blind,
Behütet ohne Hürden.
Ihnen beugt sich der streichende Wind:
Ehrwürden! Ehrwürden!

Manchmal auch greift er wie an die Kandare
Bäumender Rosse in grünen Geschirren.
Wer sind sie wirklich? Sie bleiben das Klare,
Dem keine Fieber die Zeit verwirren.

Sie wälzen hundert und hundert Jahr
In ihren Türmen, den stolzen,
Was aus Erfahrung und Gefahr
Zum Gruß „ich lebe" zusammengeschmolzen.

Darunter verklingt ein Ruf: ich scheide!
Den einst ein menschlicher Hornstoß stieß;
Darunter wieder liegt grasige Heide
Manchmal und manchmal erdiger Grieß.

Als mir die Einsamkeit das Brausen,
Das Brausen die Einsamkeit wiedergebar,
Gebar sie auch Geister, die hier hausen.
Ich wurde weiser Männer gewahr.

Sie schienen den Stämmen zu gehören,
Die dunklen Brunnen brauten ihr Alter.
Und nach den durchbrochenen Blätterflören
Trugen manche gezeichnete Flügel wie Falter.

Gingen sie traumhaft, wie sie kamen,
So war es, sie würden wiederkehren;
Verwandelt in meine Formen und Namen,
Wollten sie mich mein Gastrecht lehren.

Einen sprach ich an: „Ihr seid das Reine,
Unsre Menschheit ist voll Flecken.
Die Zukunft brennt im Wetterscheine,
Kannst du das Schicksal nicht entdecken?

Gib einen Siechentrost dem Siechen."
— Er schließt die Hand, er darf sie nicht bieten,
Und öffnet sie stumm: die Fläche bekriechen
Ameisen, Ameisen und Termiten.

Und als ich bangte, ob ich ihn verstände,
Meldete sich ein Wipfel brausend.
Dann schluckten ihn die Blätterwände,
Dann nahm ihn zu sich das Jahrtausend.

Wehrlos

SIE störten uns beim Anruf höchster Namen.
Sie schlürften an und setzten sich in Gruppen,
Um laut in unserm Heiligtum zu kramen,
Zerwarfen Götter wie bemalte Puppen.

Der Weinstock trägt die immer gleichen Trauben.
Wer sie ihm nimmt, der hat ihn nicht beleidigt.
Und trafen sie uns schneidend roh am Glauben,
Wir sahen zu und haben nichts verteidigt.

Es toste ein Gewitter, und wir schwiegen,
Als führen wir mitsamt in *einem* Nachen.
Oh, wären wir trotzdem doch ausgestiegen!
Und unverziehen bleibt uns unser Lachen.

GOTTFRIED BENN

1886–1956

Palau

„ROT ist der Abend auf der Insel von Palau
und die Schatten sinken —"
singe, auch aus den Kelchen der Frau
läßt es sich trinken,
Totenvögel schrein
und die Totenuhren
pochen, bald wird es sein
Nacht und Lemuren.

Heiße Riffe. Aus Eukalypten geht
Tropik und Palmung,
was sich noch hält und steht,
will auch Zermalmung
bis in das Gliederlos,
bis in die Leere,
tief in den Schöpfungsschoß
dämmernder Meere.

Rot ist der Abend auf der Insel von Palau
und im Schattenschimmer
hebt sich steigend aus Dämmer und Tau:
„niemals und immer",
alle Tode der Welt
sind Fähren und Furten,
und von Fremdem umstellt
auch deine Geburten —

Einmal mit Opferfett
auf dem Piniengerüste
trägt sich dein Flammenbett
wie Wein zur Küste,

Megalithen zuhauf
und die Gräber und Hallen,
Hammer des Thor im Lauf
zu den Asen zerfallen —

Wie die Götter vergehn
und die großen Cäsaren,
von der Wange des Zeus
emporgefahren —
singe, wandert die Welt
schon in fremdestem Schwunge,
schmeckt uns das Charonsgeld
längst unter der Zunge.

Paarung. Dein Meer belebt
Sepien, Korallen,
was sich noch hält und hebt,
will auch zerfallen,
rot ist der Abend auf der Insel von Palau,
Eukalyptenschimmer
hebt in Runen aus Dämmer und Tau:
niemals und immer.

Doppelkonzert

DURCH die Klangwelt, welche Menschen schufen,
Tongebilde rhythmisch hingelegt,
sah ich jäh die längstverlassenen Stufen
einer Erde, die sich stumm erträgt.

Ohne Laut das Enden, Fall der Blumen,
Tod von Tieren, die sich weit bewahrt,
nur ein Runzeln, stirbt aus Altertumen
eine letzte langgenährte Art.

Spreu des All, ein grauer Bruch aus Sternen,
eine Schaufel Steine — eine Hand,
die den Wurf durch Finsternis und Fernen
zu Geröll und stummem Felsen band.

Schalentiere, Muscheln, rote Riffe,
kalte Fischwelt, doch auch Lurch und Gnu:
Alle brechen unter *einem* Griffe
lautlos und die Lippe ist noch zu.

Da, noch schauernd in der Urgewalten
Runzeln, Röcheln, erster Ausdrucksspur,
hör' ich Flöten einen Gram entfalten:
Tosca —: Ausdrucksstürme: Hörner spalten
die unsäglich harrende Natur!

Ein Wort

EIN Wort, ein Satz —: aus Chiffren steigen
erkanntes Leben, jäher Sinn,
die Sonne steht, die Sphären schweigen
und alles ballt sich zu ihm hin.

Ein Wort — ein Glanz, ein Flug, ein Feuer,
ein Flammenwurf, ein Sternenstrich —
und wieder Dunkel, ungeheuer,
im leeren Raum um Welt und Ich.

Verlorenes Ich

VERLORENES Ich, zersprengt von Stratosphären,
Opfer des Ion —: Gamma-Strahlen-Lamm —
Teilchen und Feld —: Unendlichkeitschimären
auf deinem grauen Stein von Notre-Dame.

Die Tage gehn dir ohne Nacht und Morgen,
die Jahre halten ohne Schnee und Frucht
bedrohend das Unendliche verborgen —
die Welt als Flucht.

Wo endest du, wo lagerst du, wo breiten
sich deine Sphären an — Verlust, Gewinn —:
ein Spiel von Bestien: Ewigkeiten,
an ihren Gittern fliehst du hin.

Der Bestienblick: die Sterne als Kaldaunen,
der Dschungeltod als Seins- und Schöpfungsgrund,
Mensch, Völkerschlachten, Katalaunen
hinab den Bestienschlund.

Die Welt zerdacht. Und Raum und Zeiten
und was die Menschheit wob und wog,
Funktion nur von Unendlichkeiten —
die Mythe log.

Woher, wohin — nicht Nacht, nicht Morgen,
kein Evoë, kein Requiem,
du möchtest dir ein Stichwort borgen —
allein bei wem?

Ach, als sich alle einer Mitte neigten
und auch die Denker nur den Gott gedacht,
sie sich den Hirten und dem Lamm verzweigten,
wenn aus dem Kelch das Blut sie rein gemacht.

und alle rannen aus der einen Wunde,
brachen das Brot, das jeglicher genoß —
oh ferne zwingende erfüllte Stunde,
die einst auch das verlorne Ich umschloß.

Der Dunkle

I

ACH, gäb er mir zurück die alte Trauer,
die einst mein Herz so zauberschwer umfing,
da gab es Jahre, wo von jeder Mauer
ein Tränenflor aus Tristanblicken hing.

Da littest du, doch es war Auferstehung,
da starbst du hin, doch es war Liebestod,
doch jetzt bei jedem Schritt und jeder Drehung
liegen die Fluren leer und ausgeloht.

Die Leere ist wohl auch von jenen Gaben,
in denen sich der Dunkle offenbart,
er gibt sie dir, du mußt sie trauernd haben.
doch diese Trauer ist von anderer Art.

II

Auch laß die Einsamkeiten größer werden,
nimm dich zurück aus allem, was begann,
reihe dich ein in jene Weideherden,
die dämmert schon die schwarze Erde an.

Licht ist von großen Sonnen, Licht ist Handeln,
in seiner Fülle nicht zu überstehn,
ich liebe auch den Flieder und die Mandeln
mehr in Verschleierung zur Blüte gehn.

Hier spricht der Dunkle, dem wir nie begegnen,
erst hebt er uns, indem er uns verführt,
doch ob es Träume sind, ob Fluch, ob Segnen,
das läßt er alles menschlich unberührt.

III

Gemeinsamkeit von Geistern und von Weisen,
vielleicht, vielleicht auch nicht, in einem Raum,
bestimmt von Ozean und Wendekreisen
das ist für viele ein erhabner Traum.

Mythen bei Inkas und bei Sansibaren,
die Sintflutsage rings und völkerstet —
doch keiner hat noch etwas je erfahren,
das vor dem Dunklen nicht vorübergeht.

IV

Grau sind die Hügel und die Flüsse grau,
sie tragen schon Urahnen aller Jahre,
und nun am Ufer eine neue Frau
gewundene Hüften, aufgedrehte Haare.

Und auf der Wiese springen Stiere an,
gefährdend jedes, mit dem Horn zerklüften,
bis in die Koppel tritt geklärt ein Mann,
der bändigt alles, Hörner, Haare, Hüften.

Und nun beginnt der enggezogene Kreis,
der trächtige, der tragische, der schnelle,
der von der großen Wiederholung weiß —
und nur der Dunkle harrt auf seiner Stelle.

Reisen

MEINEN Sie Zürich zum Beispiel
sei eine tiefere Stadt,
wo man Wunder und Weihen
immer als Inhalt hat?

Meinen Sie, aus Habana,
weiß und hibiskusrot,
bräche ein ewiges Manna
für Ihre Wüstennot?

Bahnhofstraßen und Rueen,
Boulevards, Lidos, Laan —
selbst auf den Fifth Avenueen
fällt Sie die Leere an —

Ach, vergeblich das Fahren!
Spät erst erfahren Sie sich:
bleiben und stille bewahren
das sich umgrenzende Ich.

Nur zwei Dinge

DURCH so viel Formen geschritten,
durch Ich und Wir und Du,
doch alles blieb erlitten
durch die ewige Frage: wozu?

Das ist eine Kinderfrage.
Dir wurde erst spät bewußt,
es gibt nur eines: Ertrage
— ob Sinn, ob Sucht, ob Sage —
dein fernbestimmtes: Du mußt.

Ob Rosen, ob Schnee, ob Meere,
was alles erblühte, verblich,
es gibt nur zwei Dinge: die Leere
und das gezeichnete Ich.

KARL BRÖGER

1886–1944

Bekenntnis

IMMER schon haben wir eine Liebe zu dir gekannt,
bloß wir haben sie nie mit einem Namen genannt.
Als man uns rief, da zogen wir schweigend fort,
auf den Lippen nicht, aber im Herzen das Wort
    Deutschland.

Unsre Liebe war schweigsam; sie brütete tiefversteckt.
Nun ihre Zeit gekommen, hat sie sich hochgereckt.
Schon seit Monden schirmt sie in Ost und West dein Haus
und sie schreitet gelassen durch Sturm und Wettergraus,
    Deutschland.

Daß kein fremder Fuß betrete den heimischen Grund,
stirbt ein Bruder in Polen, liegt einer in Flandern wund.
Alle hüten wir deiner Grenze heiligen Saum.
Unser blühendstes Leben für deinen dürrsten Baum,
      Deutschland.

Immer schon haben wir eine Liebe zu dir gekannt,
bloß wir haben sie nie bei ihrem Namen genannt.
Herrlich zeigte es aber deine größte Gefahr,
daß dein ärmster Sohn auch dein getreuester war.
      Denk es, o Deutschland.

Das rote Wirtshaus

Drüben, wo sich die schmalen, weißen
Bänder der Straße zum Knoten verweben,
steht — einst „cabaret rouge" geheißen —
ein Trümmerhaufen . . . zerscherbtes Leben . . .

Sparren und Giebel ausgebrannt,
geschwärzt und zerborsten die rötlichen Mauern,
starrt es mit toten Augen ins Land,
umweht von Herbstwind und Nebelschauern.

Drinnen sitzt ein hagerer Gast
allein und schweigend am runden Tisch.
Der seit Monden hier zecht, seit Monden hier praßt.
Deutsche sein Fleisch, Franzosen sein Fisch.

Manchmal erhebt sich der einsame Zecher
und streckt die Knochenarme ins Licht,
daß ein Strahl sich in dem beinernen Becher,
sich im blutig funkelnden Weine bricht.

Schattet Abend die Wiesen und Bäche,
die Nacht zieht vorbei in silbernem Boot,
dann torkelt über die flimmernde Fläche
trunkener Tod.

KARL BRÖGER

Grauer Morgen

GRAUE Schleier schleppt der Morgen
die kahle Front der Fabriken entlang,
zieht einen härenen Sack voll Sorgen
hinter sich her auf seinem Gang.

Unter seinem Trott erschauern
Höfe und Hallen; sie drängen sich dicht.
Rußige Türme, Dächer, Mauern
ducken sich scheu in fahles Licht.

Steil emporgeschleuderte Arme
flehen Kamine den Himmel an,
daß er sich ihrer Not erbarme,
sie erlöse aus Wirrnis und Wahn.

Doch schon streicht mit feurigen Ruten
Sonne das angeschwärzte Dach.
Dampf wölkt auf, Sirenen tuten,
und der gottlose Tag ist wach.

MAX HERRMANN-NEISSE

1886–1941

Sommermittag am See

DER Mittag träumt. Der See bewegt sich träge.
Im einsam weißen Haus klagt das Klavier.
Die Uhr macht langsam ihre Stundenschläge.
Auf heißem Stein sonnt sich ein Katzentier.

Im Strandbad lassen sich die Menschen schmoren,
es riecht so sommerlich nach Holz und Teer.
Man fühlt sich ohne Pflichten, weltverloren,
und spürt den nahen Süden und sein Meer.

Indes in all den leeren Straßen drüben
gigantisch gähnend das Verdaun gedeiht,
der Essen Dünste jetzt die Lüfte trüben,
hält ihren Schlummer ungestört die Zeit.

Ein Flieger zieht am Himmel in die Weite,
es nahen sich Gewitterwölkchen sacht.
Und seltsam winterlich starrt das beschneite
Gebirge fern in seiner kalten Pracht.

Rast auf der Flucht

Lass mich das Leben noch schmecken,
eh die Vernichtung uns trifft:
Gaskrieg, Marter, Verrecken,
Bombe, tückisches Gift.
Sommerlich sind noch die Stühle
auf die Straßen gestellt,
Bilder, Farben, Gefühle
Schmuck einer glücklichen Welt.
Gönne mir noch diesen weichen,
kindlich verspielten Genuß,
morgen vielleicht trifft zur gleichen
Zeit mich der tödliche Schuß.
Heut noch an Springbrunnen träumen
in den tönenden Tag,
sich an das Schöne versäumen
kurz vor dem Glockenschlag,
der das alles beendet,
dem letzten, den man vernimmt.
Was das Geschick dann sendet,
werde, wie es bestimmt.
Heut laß zum letzten Male
arglos und froh mich hier sein,
fülle die gläserne Schale
mir mit Abschiedswein!

Wird sie geleert zerscherben,
war ich doch göttlich zu Gast.
Gönne vor Kampf und Sterben
mir diese lindernde Rast!

(Paris, September 1933.)

Der dunkle Schlächter

In mir liegt er schon, der dunkle Schlächter,
auf der Lauer, sicher seiner Beute.
Es umkreisen lautlos mich die Wächter
mit der unsichtbaren, scharfen Meute,
die begehrt, das Opfer zu zerreißen,
und ich weiß, ich kann ihr nicht entrinnen.
Keine Flucht wird mir der Tag verheißen,
sondern neue Furcht mit ihm beginnen,
die sich an die Angst der Nacht anklammert.
Stets bin ich ihm wehrlos preisgegeben,
ihm, den keines Menschen Ohnmacht jammert,
der das Urteil fällt: „Du darfst nicht leben!"
Und ich habe nichts, ihn zu bestechen,
keine gute Tat, die mich verteidigt;
denn Begier und heimliches Verbrechen
haben meine Schutzengel beleidigt.
Niemand hört, wenn ich um Hilfe rufe.
Meiner Seele Landschaft liegt verlassen;
an den Abgrund führt die letzte Stufe
dieser steilen, öden Armutsgassen.
Dorthin treibt die unsichtbare Meute
mich, den weltverliebten Weltverächter.
Mir im Blut, gewiß der sichren Beute,
harrt der Menschen Feind, der dunkle Schlächter.

Ein Liebesbekenntnis

WENN Du mir fehlst, fehlt mir ein ganzes Leben;
doch bist Du bei mir, mach ich Dir Verdruß.
Wie sollst Du das Versäumte mir vergeben,
ist alles immer nur ein Abschiedskuß?

Wie sollst Du meiner treuen Liebe trauen,
wenn sie sich nur im Trennungsschmerze zeigt?
Daß meine Augen traurig nach Dir schauen,
was nutzt es, wenn mein Mund auch dann noch schweigt?

Wie hilflos und vereinsamt ich mich fühle,
läßt Du mich wieder einmal hier allein!
Bekümmert streich ich durch die Abendkühle
und wünsche nur, Dir wieder nah zu sein.

Wie sehr ich jedes Pärchen dann beneide,
das heimwärts hastet, Arm in Arm, beschwingt,
hernach zuhaus bei dem Gelächter leide,
das aus der Wohnung nebenan erklingt!

Doch wärst Du hier, säß ich bei einem Buche
für Dich verschlossen, streng und abgekehrt,
Dein Antlitz, das ich nun verzweifelt suche,
hätte umsonst ein gutes Wort begehrt.

So mußt Du immer wieder mir vergeben,
bleib ich Dein Schuldner bis zum bittren Schluß.
Ich bin Dein Kind, Du schenktest mir das Leben
und sollst mich segnen, wenn ich sterben muß.

Legende im Hydepark

ER stand bescheiden, schweigend an der Hecke
und hielt den Finger in das Morgenlicht.
Da nahten sich aus ihrem Nachtverstecke
die Vögel zärtlich seinem Angesicht,

berührten ihn mit flügelsanftem Kusse
und ließen sich auf Schultern, Haupt und Hand
behutsam nieder, und weither vom Flusse
flog auch die Möwenschar zu ihm aufs Land.

Der Mensch und bei ihm alles das Gefieder
blieb eine Weile seltsam unbewegt.
Verstummt war in dem Laub das Lied der Lieder,
ein Hund hat sich zu Füßen ihm gelegt,
bis jener Mann mit sorglichem Gebaren
das Mitgebrachte aus der Tasche nahm
für seine tierhaft treuen Jüngerscharen;
sein Liebling war die Taube, flügellahm.

Und jedes wußte, es kam an die Reihe,
und wartete geduldig auf sein Teil.
Die Sonne gab dem Ganzen ihre Weihe,
der Frühling tanzte in den Lüften Seil.
Die Amseln pickten folgsam ihre Bissen,
sogar die Spatzen, auch ein Schwan war da,
vom Teich hierhergewatschelt; denn es wissen
die Tiere alle, wenn ihr Heiland nah.

In der Allee spazierten feine Leute
und auf dem Reitweg trabten sie zur Schau.
Doch alles, was am Frühlingsglück sich freute,
auch die verliebte mädchenhafte Frau,
war nicht aus solchem Himmelsglanz gestaltet
wie dieser Mann im ärmlichen Gewand,
der wie von Engelsfittichen umfaltet
in der gefiederten Gefolgschaft stand.

Nun schien sie andachtsvoll auf ihn zu lauschen,
der innig über sie den Segen sprach.
In allen Bäumen war ein frohes Rauschen,
als dann der Wind das fromme Schweigen brach.

Beschwingt entflatterten die Vogelheere.
Der Mann stand wieder schweigend, ganz allein
als Mensch in jener endlos bangen Leere,
in der ein Mensch verdammt ist, Mensch zu sein.

Sehr ungelenk begann er sich zu fassen,
er lächelte verlegen und entschwand,
und jäh von jedem guten Geist verlassen
lag unbeseelt und arm und leer das Land.

ARMIN T. WEGNER

1886–

Der Zug der Häuser

DIE letzten Häuser recken sich grau empor,
in Massen geschart und in einzelne Gruppen,
elende Hütten laufen davor,
zerlumpte Kinder vor Heerestruppen.
Hinter den steinernen Zinnen
aber beginnen
die Felder, die Weiten,
die sich endlos in die graue Ebene breiten.
Hohläugig glotzen die Häuser herüber,
mit scheelem Blicke versengen sie Strauch und Baum:

„Gebt Raum! Gebt Raum
unserm Schritt!
Wir wälzen den plumpen steinernen Leib darüber,
die Dörfer, die Felder, die Wälder, wir nehmen sie mit!
Mit unserem rauchenden Atem verbrennen
wir jede Blüte und reifende Frucht.
Die Saaten, die nicht mehr grünen können,
ersticken in Qualm wir. Vor unserer Wucht
zersplittern die Bäume, in rasender Schnelle
sind alle Menschen im Land auf der Flucht

vor unserer steinernen Welle.
Wir aber erreichen sie doch. Uns hält
kein Strom, kein Graben. Wir morden das Feld.
Und die Menschen, aus ihrer Qual sich zu retten,
aus einsamen Höfen, verlassenen Auen,
mit dem Wahnsinn gepaart, dem Hunger, dem Schmerz,
gebeugte Männer, verzweifelte Frauen,
ziehen dahin in schwarzen Ketten,
hinein in der Städte pochendes Herz.
Ob lebend, ob tot, wir halten sie fest
an unsere steinernen Brüste gepreßt.
Bis unsere Stirnen die Sterne berühren,
blutender Felder zerrissenen Grund,
euch Ebenen, die in das Endlose führen,
alle verschlingt unserer Mauern zermalmender Mund.
Bis wir zum Saume der Meere uns strecken,
nie sind wir müde, nie werden wir satt,
bis wir zum Haupte der Berge uns recken
und die weite, keimende Erde bedecken:
eine ewige, eine unendliche Stadt! . . ."

GEORG HEYM

1887–1912

Der Hunger

Er fuhr in einen Hund, dem groß er sperrt
Das rote Maul. Die blaue Zunge wirft
Sich lang heraus. Er wälzt im Staub. Er schlürft
Verwelktes Gras, das er dem Sand entzerrt.

Sein leerer Schlund ist wie ein großes Tor,
Drin Feuer sickert, langsam, tropfenweis,
Das ihm den Bauch verbrennt. Dann wäscht mit Eis
Ihm eine Hand das heiße Speiserohr.

Er wankt durch Dampf. Die Sonne ist ein Fleck,
Ein rotes Ofentor. Ein grüner Halbmond führt
Vor seinen Augen Tänze. Er ist weg.

Ein schwarzes Loch gähnt, draus die Kälte stiert.
Er fällt hinab und fühlt noch, wie der Schreck
Mit Eisenfäusten seine Gurgel schnürt.

Die Gefangenen

SIE trampeln um den Hof im engen Kreis.
Ihr Blick schweift hin und her im kahlen Raum.
Er sucht nach einem Feld, nach einem Baum,
Und prallt zurück von kahler Mauern Weiß.

Wie in den Mühlen dreht der Rädergang,
So dreht sich ihrer Schritte schwarze Spur.
Und wie ein Schädel mit der Mönchstonsur,
So liegt des Hofes Mitte kahl und blank.

Es regnet dünn auf ihren kurzen Rock.
Sie schaun betrübt die graue Wand empor,
Wo kleine Fenster sind, mit Kasten vor,
Wie schwarze Waben in dem Bienenstock.

Man treibt sie ein, wie Schafe zu der Schur.
Die grauen Rücken drängen in den Stall.
Und klappernd schallt heraus der Widerhall
Der Holzpantoffeln auf dem Treppenflur.

Der Gott der Stadt

AUF einem Häuserblocke sitzt er breit.
Die Winde lagern schwarz um seine Stirn.
Er schaut voll Wut, wo fern in Einsamkeit
Die letzten Häuser in das Land verirrn.

Vom Abend glänzt der rote Bauch dem **Baal,**
Die großen Städte knien um ihn her.
Der Kirchenglocken ungeheure Zahl
Wogt auf zu ihm aus schwarzer Türme Meer.

Wie Korybanten-Tanz dröhnt die Musik
Der Millionen durch die Straßen laut.
Der Schlote Rauch, die Wolken der Fabrik
Ziehn auf zu ihm, wie Duft von Weihrauch blaut.

Das Wetter schwält in seinen Augenbrauen.
Der dunkle Abend wird in Nacht betäubt.
Die Stürme flattern, die wie Geier schauen
Von seinem Haupthaar, das im Zorne sträubt.

Er streckt ins Dunkel seine Fleischerfaust.
Er schüttelt sie. Ein Meer von Feuer jagt
Durch eine Straße. Und der Glutqualm braust
Und frißt sie auf, bis spät der Morgen tagt.

Die Dämonen der Städte

SIE wandern durch die Nacht der Städte hin,
Die schwarz sich ducken unter ihrem Fuß.
Wie Schifferbärte stehen um ihr Kinn
Die Wolken schwarz vom Rauch und Kohlenruß.

Ihr langer Schatten schwankt im Häusermeer
Und löscht der Straßen Lichterreihen aus.
Er kriecht wie Nebel auf dem Pflaster schwer
Und tastet langsam vorwärts Haus für Haus.

Den einen Fuß auf einen Platz gestellt,
Den anderen gekniet auf einen Turm,
Ragen sie auf, wo schwarz der Regen fällt,
Panspfeifen blasend in den Wolkensturm.

Um ihre Füße kreist das Ritornell
Des Städtemeers mit trauriger Musik,
Ein großes Sterbelied. Bald dumpf, bald grell
Wechselt der Ton, der in das Dunkel stieg.

Sie wandern an dem Strom, der schwarz und breit
Wie ein Reptil, den Rücken gelb gefleckt
Von den Laternen, in die Dunkelheit
Sich traurig wälzt, die schwarz den Himmel deckt.

Sie lehnen schwer auf einer Brückenwand
Und stecken ihre Hände in den Schwarm
Der Menschen aus, wie Faune, die am Rand
Der Sümpfe bohren in den Schlamm den Arm.

Einer steht auf. Dem weißen Monde hängt
Er eine schwarze Larve vor. Die Nacht,
Die sich wie Blei vom finstern Himmel senkt,
Drückt tief die Häuser in des Dunkels Schacht.

Der Städte Schultern knacken. Und es birst
Ein Dach, daraus ein rotes Feuer schwemmt.
Breitbeinig sitzen sie auf seinem First
Und schrein wie Katzen auf zum Firmament.

In einer Stube voll von Finsternissen
Schreit eine Wöchnerin in ihren Wehn.
Ihr starker Leib ragt riesig aus den Kissen,
Um den herum die großen Teufel stehn.

Sie hält sich zitternd an der Wehebank.
Das Zimmer schwankt um sie von ihrem Schrei,
Da kommt die Frucht. Ihr Schoß klafft rot und lang
Und blutend reißt er von der Frucht entzwei.

Der Teufel Hälse wachsen wie Giraffen.
Das Kind hat keinen Kopf. Die Mutter hält
Es vor sich hin. In ihrem Rücken klaffen
Des Schrecks Froschfinger, wenn sie rückwärts fällt.

Doch die Dämonen wachsen riesengroß.
Ihr Schläfenhorn zerreißt den Himmel rot.
Erdbeben donnert durch der Städte Schoß
Um ihren Huf, den Feuer überloht.

Der Blinde

MAN setzt ihn hinter einen Gartenzaun.
Da stört er nicht mit seinen Quälerein.
„Sieh dir den Himmel an!" Er ist allein.
Und seine Augen fangen an zu schaun.

Die toten Augen. „Oh, wo ist er, wie
Ist denn der Himmel? Und wo ist sein Blau?
O Blau, was bist du? Stets nur weich und rauh
Fühlt meine Hand, doch eine Farbe nie.

Nie Purpurrot der Meere. Nie das Gold
Des Mittags auf den Feldern, nie den Schein
Der Flamme, nie den Glanz im edlen Stein,
Nie langes Haar, das durch die Kämme rollt.

Niemals die Sterne. Wälder nie, nie Lenz
Und seine Rosen. Stets durch Grabesnacht
Und rote Dunkelheit werd' ich gebracht
In grauenvollem Fasten und Karenz."

Sein bleicher Kopf steigt wie ein Lilienschaft
Aus magrem Hals. Auf seinem dürren Schlund
Rollt wie ein Ball des Adamsapfels Rund.
Die Augen quellen aus der engen Haft,

Ein Paar von weißen Knöpfen. Denn der Strahl
Des weißen Mittags schreckt die Toten nicht.
Der Himmel taucht in das erloschene Licht
Und spiegelt in dem bleiernen Opal.

Umbra Vitae

Die Menschen stehen vorwärts in den Straßen
Und sehen auf die großen Himmelszeichen,
Wo die Kometen mit den Feuernasen
Um die gezackten Türme drohend schleichen.

Und alle Dächer sind voll Sternedeuter,
Die in den Himmel stecken große Röhren,
Und Zauberer, wachsend aus den Bodenlöchern,
Im Dunkel schräg, die ein Gestirn beschwören.

Selbstmörder gehen nachts in großen Horden,
Die suchen vor sich ihr verlornes Wesen,
Gebückt in Süd und West und Ost und Norden,
Den Staub zerfegend mit den Armen-Besen.

Sie sind wie Staub, der hält noch eine Weile.
Die Haare fallen schon auf ihren Wegen.
Sie springen, daß sie sterben, und in Eile,
Und sind mit totem Haupt im Feld gelegen,

Noch manchmal zappelnd. Und der Felder Tiere
Stehn um sie blind und stoßen mit dem Horne
In ihren Bauch. Sie strecken alle Viere,
Begraben unter Salbei und dem Dorne.

Die Meere aber stocken. In den Wogen
Die Schiffe hängen modernd und verdrossen,
Zerstreut, und keine Strömung wird gezogen,
Und aller Himmel Höfe sind verschlossen.

Die Bäume wechseln nicht die Zeiten
Und bleiben ewig tot in ihrem Ende,
Und über die verfallnen Wege spreiten
Sie hölzern ihre langen Fingerhände.

Wer stirbt, der setzt sich auf, sich zu erheben,
Und eben hat er noch ein Wort gesprochen,
Auf einmal ist er fort. Wo ist sein Leben?
Und seine Augen sind wie Glas zerbrochen.

Schatten sind viele. Trübe und verborgen.
Und Träume, die an stummen Türen schleifen,
Und der erwacht, bedrückt vom Licht der Morgen,
Muß schweren Schlaf von grauen Lidern streifen.

Der Krieg

AUFGESTANDEN ist er, welcher lange schlief,
Aufgestanden unten aus Gewölben tief.
In der Dämmrung steht er, groß und unbekannt,
Und den Mond zerdrückt er in der schwarzen Hand.

In den Abendlärm der Städte fällt es weit,
Frost und Schatten einer fremden Dunkelheit.
Und der Märkte runder Wirbel stockt zu Eis.
Es wird still. Sie sehn sich um. Und keiner weiß.

In den Gassen faßt es ihre Schulter leicht.
Eine Frage. Keine Antwort. Ein Gesicht erbleicht.
In der Ferne zittert ein Geläute dünn,
Und die Bärte zittern um ihr spitzes Kinn.

Auf den Bergen hebt er schon zu tanzen an,
Und er schreit: Ihr Krieger alle, auf und an!
Und es schallet, wenn das schwarze Haupt er schwenkt,
Drum von tausend Schädeln laute Kette hängt.

Einem Turm gleich tritt er aus die letzte Glut,
Wo der Tag flieht, sind die Ströme schon voll Blut.
Zahllos sind die Leichen schon im Schilf gestreckt,
Von des Todes starken Vögeln weiß bedeckt.

In die Nacht er jagt das Feuer querfeldein,
Einen roten Hund mit wilder Mäuler Schrein.
Aus dem Dunkel springt der Nächte schwarze Welt,
Von Vulkanen furchtbar ist ihr Rand erhellt.

Und mit tausend hohen Zipfelmützen weit
Sind die finstren Ebnen flackend überstreut,
Und was unten auf den Straßen wimmelnd flieht,
Stößt er in die Feuerwälder, wo die Flamme brausend zieht.

Und die Flammen fressen brennend Wald um Wald,
Gelbe Fledermäuse, zackig in das Laub gekrallt,
Seine Stange haut er wie ein Köhlerknecht
In die Bäume, daß das Feuer brause recht.

Eine große Stadt versank in gelbem Rauch,
Warf sich lautlos in des Abgrunds Bauch.
Aber riesig über glühnden Trümmern steht,
Der in wilde Himmel dreimal seine Fackel dreht

Über sturmzerfetzter Wolken Widerschein,
In des toten Dunkels kalten Wüstenein,
Daß er mit dem Brande weit die Nacht verdorr,
Pech und Feuer träufet unten auf Gomorrh.

Mit den fahrenden Schiffen

MIT den fahrenden Schiffen
Sind wir vorübergeschweift,
Die wir ewig herunter
Durch glänzende Winter gestreift.
Ferner kamen wir immer
Und tanzten im insligen Meer,
Weit ging die Flut uns vorbei,
Und Himmel war schallend und leer.

Sage die Stadt,
Wo ich nicht saß im Tor,
Ging dein Fuß da hindurch,
Der die Locke ich schor?
Unter dem sterbenden Abend
Das suchende Licht
Hielt ich, wer kam da hinab,
Ach, ewig in fremdes Gesicht.

Bei den Toten ich rief,
Im abgeschiedenen Ort,
Wo die Begrabenen wohnen;
Du, ach, warest nicht dort.
Und ich ging über Feld,
Und die wehenden Bäume zu Haupt
Standen im frierenden Himmel
Und waren im Winter entlaubt.

Raben und Krähen
Habe ich ausgesandt,
Und sie stoben im Grauen
Über das ziehende Land.
Aber sie fielen wie Steine
Zur Nacht mit traurigem Laut
Und hielten im eisernen Schnabel
Die Kränze von Stroh und Kraut.

Manchmal ist deine Stimme,
Die im Winde verstreicht,
Deine Hand, die im Traume
Rühret die Schläfe mir leicht;
Alles war schon vorzeiten.
Und kehret wieder sich um.
Gehet in Trauer gehüllet,
Streuet Asche herum.

Die Stadt der Qual

ICH bin in Wüsten eine große Stadt
Hinter der Nacht und toten Meeren weit.
In meinen Gassen herrscht stets wilder Zank
Geraufter Bärte. Ewig Dunkelheit

Hängt über mir wie eines Tieres Haut.
Ein roter Turm nur flackert in den Raum.
Ein Feuer braust und wirft den Schein von Blut
Wie einen Keil auf schwarzer Köpfe Schaum.

Der Geißeln Hyder bäumt in hoher Faust.
In jedem Dunkel werden Schwerter bloß.
Und auf den Toten finstrer Winkel hockt
Ein Volk von bleichen Narren, kettenlos.

Der Hunger warf Gerippe auf mich hin.
Der Brunnen Röhren waren alle leer;
Mit langen Zungen hingen sie darin,
Blutig und rauh. Doch kam kein Tropfen mehr.

Und gelbe Seuchen blies ich über mich.
Die Leichenzüge gingen auf mir her,
Ameisen gleich mit einem kleinen Sarg,
Und winzige Pfeiferleute bliesen quer.

Altäre wurden prächtig mir gebaut
Und sanken nachts in wildem Loderschein.
Im Dunkel war der Mord. Und lag das Blut
Rostfarbner Mantel auf der Treppen Stein.

Asche war auf der Völker Haupt gestreut,
Zerfetzt verflog ihr hären Kleid wie Rauch.
So saßen sie wie kleine Kinder nachts
In tauber Angst auf meinem großen Bauch.

Ich bin der Leib voll ausgehöhlter Qual.
In meinen Achseln rotes Feuer hängt.
Ich bäume mich und schreie manchmal laut,
In schwarzer Himmel Grabe ausgerenkt.

Der sterbende Faun

ER stirbt am Waldrand, mit verhaltnem Laut
Klagt schon sein Schatten an des Hades Tor.
Der Kranz von Lattich, den sein Haupt verlor,
Fiel unter Disteln und das Schierlingskraut.

Den Pfeil im Hals, verschüttet er sein Blut,
Das schwarze Faunsblut, in den grünen Grund
Der abendlichen Halde, aus dem Mund,
Drauf schon des Todes dunkler Flügel ruht.

Der Himmel Thraziens glänzt im Abendgrün,
Ein Silberleuchter seinem Sterbeschrei,
Aus fernen Bergen, wo die Eichen glühn.

Tief unter ihm verblaßt die weite Bai,
Darüber hoch die roten Wolken ziehn,
Und fern ein Purpursegel schwimmt vorbei.

Ein Herbst-Abend

DU bist in einem alten Park geboren,
Des Düfte, schwarz von Ulmen und Cypressen,
In deine Tage frühe Schatten warfen.

Warum sind sonst so traurig deine Wimpern,
In dunkele Melancholie verloren
Wie an dem Herbstweg eines Blinden Harfen?

In Trauerweiden bist du einst gegangen,
Die vorbedeutend deinen Scheitel schlugen,
Und zittern sahst du dich in tiefen Bronnen.

Aus ihren Büschen, wenn die Schwestern riefen,
Wenn ihre hellen Stimmen fern verliefen,
Dann standest du in einen Traum versonnen,

Auf eine niedre Mauer sanft gelehnt,
Und spiegeltest die weiße Stirn so gern
In grüner Himmel müden Abendsonnen.

Wir trafen uns in Wald und bösem Sterne,
Da des Saturns gelbhaariger Fittich flog
Durch Waldes Wirrsal, und in Waldes Ferne

Der Weg im Ausgang stand, ein Donner-Licht,
Da wie verstockt von Schwüle sog das Blut
In unserer Hand. — Vergiß der Stunde nicht.

Und zähle jede, die durch deine Hände
In leere Luft zerrinnt. Vielleicht daß bald
Du einsam starrest in die toten Wände,

Und daß dein Rufen ungehört verhallt.

WOLF GRAF VON KALCKREUTH

1887–1906

EINST, wenn wir in dem dunklen Boden schlafen,
Der lastend über unsre Brust sich schiebt,
Wann unser Traum in tiefster Nacht zerstiebt,
Nun, da wir angelangt im großen Hafen . . .

Dann wird nach allen Leiden, die uns trafen,
Uns, die wir uns so heiß und wahr geliebt,
Nach allem Glück, dem sich ein Herz ergibt,
Erbarmungslos der Tod dann Lügen strafen.

Hoch über uns des Äthers Lichtermeer,
Hart über uns die Erde, stumm und schwer.
Zum Nichts die Seele und der Leib zur Düngung.

Du so voll Schönheit, und so traurig ich . . .
Zerstört von der Verwesung, wir, die sich
Zu sehn gehofft in strahlender Verjüngung.

DES Frühlings erste Grüße sind's,
Enthaucht vom Duft des lauen Winds,
Wie Morgenschlummer eines Kinds.

Geheimnisvoll erweckt der Hauch
Aus blauem Äther Baum und Strauch
Und all die weißen Blüten auch!

Und knospend quillt ein lieblich Heut,
Das schönster Zukunft sich erfreut
Und nimmer das Erwachen scheut.

Doch wir stehn bleichen Angesichts
Verweint am Strom des warmen Lichts,
Der golden säumt das ew'ge Nichts.

GEORG TRAKL

1887–1914

Verfall

AM Abend, wenn die Glocken Frieden läuten,
Folg ich der Vögel wundervollen Flügen,
Die lang geschart, gleich frommen Pilgerzügen,
Entschwinden in den herbstlich klaren Weiten.

Hinwandelnd durch den dämmervollen Garten
Träum ich nach ihren helleren Geschicken
Und fühl der Stunden Weiser kaum mehr rücken.
So folg ich über Wolken ihren Fahrten.

Da macht ein Hauch mich von Verfall erzittern.
Die Amsel klagt in den entlaubten Zweigen.
Es schwankt der rote Wein an rostigen Gittern,

Indes wie blasser Kinder Todesreigen
Um dunkle Brunnenränder, die verwittern,
Im Wind sich fröstelnd blaue Astern neigen.

Die schöne Stadt

ALTE Plätze sonnig schweigen.
Tief in Blau und Gold versponnen
Traumhaft hasten sanfte Nonnen
Unter schwüler Buchen Schweigen.

Aus den braun erhellten Kirchen
Schaun des Todes reine Bilder,
Großer Fürsten schöne Schilder.
Kronen schimmern in den Kirchen.

Rösser tauchen aus dem Brunnen.
Blütenkrallen drohn aus Bäumen.
Knaben spielen wirr von Träumen
Abends leise dort am Brunnen.

Mädchen stehen an den Toren,
Schauen scheu ins farbige Leben.
Ihre feuchten Lippen beben
Und sie warten an den Toren.

Zitternd flattern Glockenklänge,
Marschtakt hallt und Wacherufen.
Fremde lauschen auf den Stufen.
Hoch im Blau sind Orgelklänge.

Helle Instrumente singen.
Durch der Gärten Blätterrahmen
Schwirrt das Lachen schöner Damen.
Leise junge Mütter singen.

Heimlich haucht an blumigen Fenstern
Duft von Weihrauch, Teer und Flieder.
Silbern flimmern müde Lider
Durch die Blumen an den Fenstern.

Der Gewitterabend

O DIE roten Abendstunden!
Flimmernd schwankt am offnen Fenster
Weinlaub wirr ins Blau gewunden,
Drinnen nisten Angstgespenster.

Staub tanzt im Gestank der Gossen.
Klirrend stößt der Wind in Scheiben.
Einen Zug von wilden Rossen
Blitze grelle Wolken treiben.

Laut zerspringt der Weiherspiegel.
Möven schrei'n am Fensterrahmen.
Feuerreiter sprengt vom Hügel
Und zerschellt im Tann zu Flammen.

Kranke kreischen im Spitale.
Bläulich schwirrt der Nacht Gefieder.
Glitzernd braust mit einem Male
Regen auf die Dächer nieder.

Abendmuse

ANS Blumenfenster wieder kehrt des Kirchturms
    Schatten
Und Goldnes. Die heiße Stirn verglüht in Ruh und
    Schweigen.
Ein Brunnen fällt im Dunkel von Kastanienzweigen —
Da fühlst du: es ist gut! in schmerzlichem Ermatten.

Der Markt ist leer von Sommerfrüchten und Gewinden.
Einträchtig stimmt der Tore schwärzliches Gepränge.
In einem Garten tönen sanften Spieles Klänge,
Wo Freunde nach dem Mahle sich zusammenfinden.

Des weißen Magiers Märchen lauscht die Seele gerne.
Rund saust das Korn, das Mäher nachmittags
    geschnitten.
Geduldig schweigt das harte Leben in den Hütten;
Der Kühe linden Schlaf bescheint die Stallaterne.

Von Lüften trunken sinken balde ein die Lider
Und öffnen leise sich zu fremden Sternenzeichen.
Endymion taucht aus dem Dunkel alter Eichen
Und beugt sich über trauervolle Wasser nieder.

Trübsinn

WELTUNGLÜCK geistert durch den Nachmittag.
Baracken fliehn durch Gärtchen braun und wüst.
Lichtschnuppen gaukeln um verbrannten Mist,
Zwei Schläfer schwanken heimwärts, grau und vag.

Auf der verdorrten Wiese läuft ein Kind
Und spielt mit seinen Augen schwarz und glatt.
Das Gold tropft von den Büschen trüb und matt.
Ein alter Mann dreht traurig sich im Wind.

Am Abend wieder über meinem Haupt
Saturn lenkt stumm ein elendes Geschick.
Ein Baum, ein Hund tritt hinter sich zurück
Und schwarz schwankt Gottes Himmel und entlaubt.

Ein Fischlein gleitet schnell hinab den Bach;
Und leise rührt des toten Freundes Hand
Und glättet liebend Stirne und Gewand.
Ein Licht ruft Schatten in den Zimmern wach.

Ein Winterabend

WENN der Schnee ans Fenster fällt,
Lang die Abendglocke läutet,
Vielen ist der Tisch bereitet
Und das Haus ist wohlbestellt.

Mancher auf der Wanderschaft
Kommt ans Tor auf dunklen Pfaden.
Golden blüht der Baum der Gnaden
Aus der Erde kühlem Saft.

Wanderer tritt still herein;
Schmerz versteinerte die Schwelle.
Da erglänzt in reiner Helle
Auf dem Tische Brot und Wein.

FRIEDRICH SCHNACK

1888–

Busch

DIR waren Jahre hold
Und Wasser ohne Zorn.
Du blühtest auf von Gold
Bei Korn und Dorn.

Die Vögel kehrten ein,
Im Erdenfeuer stand dein Saft.
Du warst mit dir allein
Und littest nicht an Blut und Leidenschaft.

Der Regen kam zu dir,
Mit nackten Sohlen der geliebte Wind.
Im Brand der Zeiten lebten wir,
Du aber weißt nicht, wie die Herzen bitter sind.

Du bleibst am Ort,
Der blaue Schatten flutet durch dein Laub.
Uns reißt die Mühsal fort,
Und unser Bett ist Stein, und unser Brot ist Staub.

Dich sucht der Hirt
Mit weißer Herde und mit schwarzem Hund.
Wir treiben weltverwirrt
Und haben keinen Freund und finden keinen Bund.

Du hast nicht Not.
Der Grund, auf dem du grünst, ist dein.
Wir kämpfen uns zu Tod
Und schlagen keine Wurzel ein.

ALFRED WOLFENSTEIN

1888–1945

Städter

NAH wie Löcher eines Siebes stehn
Fenster beieinander, drängend fassen
Häuser sich so dicht an, daß die Straßen
Grau geschwollen wie Gewürgte sehn.

Ineinander dicht hineingehakt
Sitzen in den Trams die zwei Fassaden
Leute, wo die Blicke eng ausladen
Und Begierde ineinander ragt.

Unsre Wände sind so dünn wie Haut,
Daß ein jeder teilnimmt, wenn ich weine,
Flüstern dringt hinüber wie Gegröhle:

Und wie stumm in abgeschloßner Höhle
Unberührt und ungeschaut
Steht doch jeder fern und fühlt: alleine.

HEINRICH LERSCH

1889–1936

Soldatenabschied

Lass mich gehn, Mutter, laß mich gehn!
All das Weinen kann uns nichts mehr nützen,
denn wir gehn das Vaterland zu schützen!
Laß mich gehn, Mutter, laß mich gehn.
Deinen letzten Gruß will ich vom Mund dir küssen:
Deutschland muß leben, und wenn wir sterben müssen!

Wir sind frei, Vater, wir sind frei!
Tief im Herzen brennt das heiße Leben,
frei wären wir nicht, könnten wirs nicht geben.
Wir sind frei, Vater, wir sind frei!
Selber riefst du einst in Kugelgüssen:
Deutschland muß leben, und wenn wir sterben müssen!

Uns ruft Gott, mein Weib, uns ruft Gott!
Der uns Heimat, Brot und Vaterland geschaffen,
Recht und Mut und Liebe, das sind seine Waffen,
uns ruft Gott, mein Weib, uns ruft Gott!

Wenn wir unser Glück mit Trauern büßen:
Deutschland muß leben, und wenn wir sterben müssen!

Tröste dich, Liebste, tröste dich!
Jetzt will ich mich zu den andern reihen,
du sollst keinen feigen Knechten freien!
Tröste dich, Liebste, tröste dich!
Wie zum ersten Male wollen wir uns küssen:
Deutschland muß leben, und wenn wir sterben müssen!

Nun lebt wohl, Menschen, lebet wohl!
Und wenn wir für euch und unsere Zukunft fallen,
soll als letzter Gruß zu euch hinüberhallen:
Nun lebt wohl, ihr Menschen, lebet wohl!
Ein freier Deutscher kennt kein kaltes Müssen:
Deutschland muß leben, und wenn wir sterben müssen!

Im Schützengraben

ICH lieg an dem Gewehr zum Anschlag an.
Ein Käppi hebt sich überm Grabenrand,
und eine Hand
wirft eine Schaufel Erde hoch hinan . . .

Mein Kamerad Franzos, dich traf ich gut!
Du mußt nicht böse sein, daß ich dich schoß:
Ich bin dein Bruder ja, bin dein Genoß;
wir sind erlöst durch eines Gottes Blut.

Was ist es denn, was uns zu töten heißt?
Du mich — ich dich, daß wir so vogelfrei?
Nur treffen, töten, wen ist einerlei,
wenn du dich nur von einem Feind befreist.

Wir denken nicht. Wir tun nur Schuß auf Schuß!
Fällt jemand neben uns — dann wächst die Wut,
und wie die Erde trinkt das frische Blut,
so wächst der Rache grauser Hochgenuß.

Denn Blut will Blut. In Strömen fließt es hin.
Tot liegt nun der, des Herz so warm doch schlug,
der Nacht um Nacht das schwere Heimweh trug,
das wachsend schwoll seit Krieges Anbeginn.

Wozu das all, mein Kamerad Franzos?
Du stirbst für deines Reiches Herrlichkeit,
ich steh' für unseres Tuns Gerechtigkeit,
und gleicher Tod ist unser beider Los.

Es muß so sein. Es wächst wie Gras und Baum
der Menschheit strebend Volk sich hin zum Licht;
zwei gleiche Bäume stehn zusammen nicht,
der eine frißt des andern Licht und Raum.

Und Tier und Gras und Blume stirbt und wird,
eins durch das andre. Alles wird zu Staub.
Ein jedes wird des Todes sichrer Raub,
ob es die Sonne dörrt, ob es die Sense schwirrt. —

Mein Kamerad Franzos, nun ruhst auch du
in Heimaterde aus von Kampf und Schlacht,
auch ich hab sie zur Heimat mir gemacht, —
wir harren wohl der Auferstehung zu.

Und unterdessen wird ein Sonnentag
mit ungeheurem Jubel um die Erde gehn,
und Blumen fliegen, Banner, Fahnen wehn,
und jeder jubelt, wie er kann und mag.

Wir hörens nicht. Wir liegen kalt und tot.
Uns weckt kein Singen, keines Friedens Gruß,
auf unsern Leibern steht der Menschheit Fuß:
Sie schaut hinein ins neue Morgenrot.

Brüder

Es lag schon lang ein Toter vor unserm Drahtverhau,
die Sonne auf ihn glühte, ihn kühlte Wind und Tau.

Ich sah ihm alle Tage in sein Gesicht hinein,
und immer fühlt ichs fester: Es muß mein Bruder sein.

Ich sah in allen Stunden, wie er so vor mir lag,
und hörte seine Stimme aus frohem Friedenstag.

Oft in der Nacht ein Weinen, das aus dem Schlaf mich
        trieb:
Mein Bruder, lieber Bruder — hast du mich nicht mehr lieb?

Bis ich, trotz allen Kugeln, zur Nacht mich ihm genaht
und ihn geholt. — Begraben: — Ein fremder Kamerad.

Es irrten meine Augen. — Mein Herz, du irrst dich nicht:
Es hat ein jeder Toter des Bruders Angesicht.

Die Mutter Gottes im Schützengraben

MUTTERGOTTES, ich denke daran, wie dich damals die
        Menschen so schmählich verlassen,
als du nach Bethlehem mußtest gehn, um dich anschreiben
        zu lassen.
In diesem Jahr, so bitt ich dich, kehr ein bei uns, in un-
        serem Schützengraben
sollst du den besten und wärmsten Unterstand haben.

Auch braucht der heilige Joseph sich nicht um Essen und
        Trinken zu sorgen,
denn unsere Küche und die Feldpost kommen am frühesten
        Morgen.
Alles, was wir haben, wollen wir euch so gerne geben,
wir stellen eine Wache vor eure Tür und schützen euch mit
        unserem Leben.

Das werden wir tun, du brauchst keine Angst vor uns zu
haben,
wir sterben für unsere Frauen, lieben unsere Mütter und
beten für unsere Knaben,
wir leben ja immer und ganz in deinem heiligen Gottes-
sohne,
auch unsere Seele trägt der Liebe schmerzliche Dornen-
krone.

Wir hassen nichts mehr, kennen keinen Neid, wissen nichts
mehr von Wollust und elenden Lügen,
uns kann der Teufel nicht mehr mit höllischen Listen
betrügen,
wenn wir auch singend unsere Feinde töten, die wir wie
böse Brüder lieben —
es ist deines Sohnes Gebot. Auch sind wir Gott sonst nichts
schuldig geblieben.

O Mutter Gottes, wenn du kommst, wir falten um die
Gewehre betend die Hände,
denn du bringst uns den König des Friedens, der macht
allen Leiden ein Ende,
wir vertrauen auf dich so sehr, denn du und dein Sohn
werden den Frieden uns bringen,
unsere Seelen werden vor Glück schöner als damals die
himmlischen Heerscharen singen.

Und in der heiligen Nacht — dann werden die Gewehre in
unserer Hand zu grünen Zweigen, daran die Patronen
wie Blüten blinken,
die Granaten zu singenden Vögeln, die Geschütze werden
tief in die Erde versinken.
Und du machst, daß den Führern der Feinde der Haß wird
aus den Herzen genommen,
daß die Gelben, Schwarzen und Weißen, wie die heiligen
drei Könige, anbetend zu dir kommen.

O Mutter Gottes, du kannst ja nicht in die prächtigen
    Häuser der Reichen gehen,
komm du nur zu uns, wir können die große Gottesliebe
    verstehen.
Du willst ja nur die Armen, Reinen und Frommen, nur
    liebende Menschen um dich haben:
O Mutter Gottes, dann komm zu uns, zu uns in den vorder-
    sten Schützengraben.

ALFRED LICHTENSTEIN

1889–1914

Nebel

EIN Nebel hat die Welt so weich zerstört.
Blutlose Bäume lösen sich in Rauch.
Und Schatten schweben, wo man Schreie hört.
Brennende Biester schwinden hin wie Hauch.

Gefangne Fliegen sind die Gaslaternen.
Und jede flackert, daß sie noch entrinne.
Doch seitlich lauert glimmend hoch in Fernen
Der giftge Mond, die fette Nebelspinne.

Wir aber, die, verrucht, zum Tode taugen,
Zerschreiten knirschend diese wüste Pracht.
Und stechen stumm die weißen Elendsaugen
Wie Spieße in die aufgeschwollne Nacht.

Punkt

DIE wüsten Straßen fließen lichterloh
Durch den erloschnen Kopf. Und tun mir weh.
Ich fühle deutlich, daß ich bald vergeh —
Dornrosen meines Fleisches, stecht nicht so.

Die Nacht verschimmelt. Giftlaternenschein
Hat, kriechend, sie mit grünem Dreck beschmiert.
Das Herz ist wie ein Sack. Das Blut erfriert.
Die Welt fällt um. Die Augen stürzen ein.

FRANZ WERFEL

1890–1945

Der dicke Mann im Spiegel

ACH Gott, ich bin das nicht, der aus dem Spiegel stiert,
Der Mensch mit wildbewachsner Brust und unrasiert.
     Tag war heut so blau,
     Mit der Kinderfrau
Wurde ja im Stadtpark promeniert.

Noch kein Matrosenanzug flatterte mir fort
Zu jenes strengverschlossenen Kastens Totenort.
     Eben abgelegt,
     Hängt er unbewegt,
Klein und müde an der Türe dort.

Und ward nicht in die Küche nachmittags geblickt?
Kaffee roch winterlich und Uhr hat laut getickt.
     Atmend stand verwundert,
     Der vorher getschundert
Übers Glatteis mit den Brüderchen geschickt.

Auch hat die Frau mir heut wie immer Angst gemacht
Vor jenem Wächter Kakiz, der den Park bewacht.
     Oft zu öder Zeit
     Hör im Traum ich weit
Diesen Teufel säbelschleppen in der Nacht.

Die treue Alte, warum kommt sie denn noch nicht?
Von Schlafesnähe allzuschwer ist mein Gesicht.
    Wenn sie doch schon käme
    Und es mit sich nähme,
Das dort oben leise singt, das Licht.

Ach, abendlich besänftigt tönt kein stiller Schritt.
Und Babi dreht das Licht nicht aus und nimmt es mit.
    Nur der dicke Mann
    Schaut mich hilflos an,
Bis er tieferschrocken aus dem Spiegel tritt.

Ich bin ja noch ein Kind

O HERR, zerreiße mich!
Ich bin ja noch ein Kind.
Und wage doch zu singen
Und nenne dich
Und sage von den Dingen:
Wir sind!

Ich öffne meinen Mund,
Eh du mich ließest deine Qualen kosten.
Ich bin gesund
Und weiß noch nicht, wie Greise rosten,
Ich klammerte mich nie an Pfosten
Wie Frauen in der schweren Stund.

Nie müht ich mich durch müde Nacht
Wie Droschkengäule, treu erhaben.
Die ihrer Umwelt längst entflohn,
(Dem zaubrisch zerschmetternden Ton
Der Frauenschritte und allem, was lacht.)
Nie müht ich mich, wie Gäule, die ins Unendliche traben.

Nie war ich Seemann, wenn das Öl ausgeht,
Wenn die platzenden Wasser die Sonne verhöhnen,
Wenn die Notschüsse dröhnen,
Wenn die Rakete zitternd aufsteht.
Nie warf ich mich, dich zu versöhnen,
O Herr, aufs Knie zum letzten Weltgebet.

Nie war ich ein Kind, zermalmt in den Fabriken
Dieser elenden Zeit, mit Ärmchen ganz benarbt!
Nie hab ich im Asyl gedarbt,
Weiß nicht, wie sich Mütter die Augen aussticken,
Ihr alle, die ihr starbt, ich weiß nicht, wie ihr starbt!

Du aber, Herr, stiegst nieder, auch zu mir.
Und hast die tausendfache Qual gefunden,
Du hast in jedem Weib entbunden,
Du starbst im Kot, in jedem Stück Papier,
In jedem Zirkusseehund wurdest du geschunden,
Und Hure warst du manchem Kavalier.

O Herr, zerreiße mich!
Was soll dies dumpfe, klägliche Genießen?
Ich bin nicht wert, daß deine Wunden fließen.
Begnade mich mit Martern, Stich um Stich!
Ich will den Tod der ganzen Welt einschließen.
O Herr, zerreiße mich!

Bis daß ich erst in jedem Lumpen starb,
In jedem Hund und jedem Gaul verreckte,
Und ein Soldat im Wüstendurst verdarb,
Bis, armer Sünder ich, das Sakrament weh auf der Zunge
    schmeckte,
Bis ich den aufgefreßnen Leib aus bitterm Bette streckte,
Nach der Gestalt, die ich, verhöhnt, umwarb.

Und wenn ich erst zerstreut bin in den Wind,
Aus jedem Tod, aus jedem Leben tauche,
Dann lodre, Herr, mir auf im Dornenstrauche!
Ich bin dein Kind.
Dann, Wort, dann praßle auf, das ich in Ahnung brauche,
Flamm unverzehrbar dich durchs All: Wir sind!!

Menschenblick

In der trägen Abendheimkehr der Gasse,
Die uns durch die Schläuche der Städte preßt,
Treiben wir ichlos in strudelnder Masse,
Leib mit Leibern, undurchscheinlich und fest.

Doch da weckt aus dem Schlaf des Massengeschickes
Jäh uns ein Antlitz, berückenden Sinnes schwer,
Und aus dem Wolkenriß eines träumenden Blickes
Starrt eine Ewigkeit, größer als Sonne und Meer.

Warum, mein Gott

Was schufst du mich, mein Herr und Gott,
Der ich aufging, unwissend Kerzenlicht,
Und flackre jetzt im Winde meiner Schuld,
Was schufst du mich, mein Herr und Gott,
Zur Eitelkeit des Worts,
Und daß ich dies füge,
Und trage vermessenen Stolz,
Und in der Ferne meiner selbst
Die Einsamkeit?!
Was schufst du mich zu dem, mein Herr und Gott?

Warum, warum nicht gabst du mir
Zwei Hände voll Hilfe,
Und Augen, waltend Doppelgestirn des Trostes?
Und eine Stimme, regnend Musik der Güte,

Und Stirne, überglommen
Von sanfter Lampe der Demut?
Und einen Schritt durch tausend Straßen,
Am Abend zu tragen alle
Glocken der Erde
Ins Herz, ins Herze des Leidens ewiglich?!

Siehe es fiebern
So viele Kinder jetzt im Abendbett,
Und Niobe ist Stein und kann nicht weinen.
Und dunkler Sünder starrt
In seines Himmels Ausgemessenheit.
Und jede Seele fällt zur Nacht
Vom Baum, ein Blatt im Herbst des Traumes.
Und alle drängen sich um eine Wärme,
Weil Winter ist
Und warme Schmerzenszeit.

Warum, mein Herr und Gott, schufst du mich nicht
Zu deinem Seraph, goldigen, willkommenen,
Der Hände Kristall auf Fieber zu legen,
Zu gehn durch Türenseufzer ein und aus,
Gegrüßet und geheißen:
Schlaf, Träne, Stube, Kuß, Gemeinschaft,
   Kindheit, mütterlich?!
Und daß ich raste auf den Ofenbänken,
Und Zuspruch bin, und Balsam deines Hauses,
Nur Flug und Botengang, und mein nichts weiß,
Und im Gelock den Frühtau deines Angesichts!

Veni Creator Spiritus

Komm heiliger Geist du, schöpferisch!
Den Marmor unsrer Form zerbrich,
Daß nicht mehr Mauer krank und hart
Den Brunnen dieser Welt umstarrt,

Daß wir gemeinsam und nach oben
Wie Flammen in einander toben!

Tauch auf aus unsern Flächen wund,
Delphin von aller Wesen Grund,
Alt allgemein und heiliger Fisch!
Komm reiner Geist du, schöpferisch,
Nach dem wir ewig uns entfalten,
Kristallgesetz der Weltgestalten!

Wie sind wir alle Fremde doch!
Wie unterm letzten Hemde noch
Die Schattengreise im Spital
Sich hassen bis zum letzten Mal
Und jeder, eh er ostwärts mündet,
Allein sein Abendlicht entzündet,

So sind wir eitel eingespannt
Und hocken bös an unserm Rand,
Und morden uns an jedem Tisch.
Komm heiliger Geist, du, schöpferisch
Aus uns empor mit tausend Flügen,
Zerbrich das Eis in unsern Zügen!

Daß tränenhaft und gut und gut
Aufsiede die entzückte Flut,
Daß nicht mehr fern und unerreicht
Ein Wesen um das andre schleicht,
Daß jauchzend wir in Blick, Hand, Mund und Haaren,
Und in uns selbst dein Attribut erfahren!

Daß, wer dem Bruder in die Arme fällt,
Dein tiefes Schlagen fest am Herzen hält,
Daß, wer des armen Hundes Blick empfängt,
Von deinem weisen Blicke wird beschenkt,
Daß alle wir in Küssens Überflüssen
Nur deine reine heilige Lippe küssen!

Fluch des Werkes

WIE fleht der Sinn, den wir zu tragen haben
Uns um sein Wort!
Das Lied doch, das wir ihm zu sagen gaben,
Schon rafft ihn fort.

Wenn traumwärts tanzend die Gestalten walten,
Ruf sie nicht her!
Du wirst in Armen bald die Kalten halten,
Verzerrt und leer.

Als Gottes Werk aus Gottes Jahr gefahren,
Und Welt brach an,
Um die Gedanken, die die wahren waren,
War es getan.

Aus tausend Grüften grün die Toten drohten,
Wo Fäulnis brennt.
Die Kranken keuchten, und Despoten lohten
Zum Firmament.

Und Mord allein geschahe fern und nahe,
Und war im Recht.
Und Gott sprang auf, und sahe hin und sahe:
So ist es schlecht!

Er kann das Werk nicht mehr mit Händen wenden,
Es rollt und glüht.
Und bis es rasend wird in Bränden enden,
Weint er sich müd

Drum glücklich Bruder, wenn dir Schweigen eigen,
Zerbrich es nicht!
Aus Traum und Teichen laß die Reigen steigen,
Klang und Gesicht.

Weh dir, willst du dem Schweben Leben geben,
Das in dir sann.
Dein Werk wird an des Käfigs Stäben kleben,
Und klagt dich an.

Es wird mit den geschaffnen Dingen ringen
Die Hände wirr.
Du wirst ein Ding in Todesschlingen bringen,
Und machen irr.

Wenn sündig all auf ihren Pfaden traben,
Betäubt und blind,
Wird Gott die tiefste Schuld auf sich zu laden haben,
Weil alle sind!

Fremde sind wir auf der Erde alle

Tötet euch mit Dämpfen und mit Messern,
Schleudert Schrecken, hohe Heimatworte,
Werft dahin um Erde euer Leben!
Die Geliebte ist euch nicht gegeben.
Alle Lande werden zu Gewässern,
Unterm Fuß zerrinnen euch die Orte.

Mögen Städte aufwärts sich gestalten,
Ninive, ein Gottestrotz von Steinen!
Ach, es ist ein Fluch in unserm Wallen:
Flüchtig muß vor uns das Feste fallen,
Was wir halten, ist nicht mehr zu halten,
Und am Ende bleibt uns nichts als Weinen.

Berge sind und Flächen sind geduldig,
Staunen, wenn wir dringen vor und weichen.
Fluß wird alles, wo wir eingezogen.
Wer zum Sein noch Mein sagt, ist betrogen.
Schuldvoll sind wir, und uns selber schuldig,
Unser Teil ist: Schuld, sie zu begleichen!

Mütter leben, daß sie uns entschwinden.
Und das Haus ist, daß es uns zerfalle.
Selige Blicke, daß sie uns entfliehen.
Selbst der Schlag des Herzens ist geliehen,
Fremde sind wir auf der Erde alle,
Und es stirbt, womit wir uns verbinden.

Ballade von den Begleitern

ICH gehe, umstöbert, durch Schnee durch den Schnee.
(Gibt es Bäume und Zäune?) Ich sehe, ich seh
In der webenden Nähe der Nacht nur Schnee.

Dumpf trott ich die träge Straße allein.
Doch bin ich allein? In dem langsamen Schnein
Fühl ichs vor mir und um mich und hinterdrein.

Wankt vor mir ein schwerer betrunkener Mann,
Der im Zickzack den Rucksack kaum schleppen kann,
Oder ist es ein kranker, ein sterbender Mann?

Umflinkt mich von beiden Seiten ein Paar,
Ein Doggenpaar, schlüpfend und unsichtbar?
Oft streift michs wie Sprung und wie Hundehaar.

Und hinten, ist das ein Schlittengaul,
Der vom Wagen sich losriß mit schnaubendem Maul?
Jetzt folgt er mir, müde schellend und faul.

Doch bleibe ich stehn in dem langsamen Schnein,
So halten die leisen Begleiter auch ein.
Vor mir und um mich und hinterdrein.

Der Kranke preßt sein mühsames Herz,
Die Doggen ducken sich dicht seitwärts,
Heiß trifft mich die Atemwolke des Pferds.

Und hebe ich müde wieder den Schritt,
So knirscht es auch vorne, schlüpft beiderseits mit,
Und hinten läutet und trottet Viertritt.

Schneestraße! Ureinsam! Nur unser Gestapf.
Nicht darf der Kranke sich strecken zum Schlaf.
Für den Gaul kein Stall, für die Hunde kein Napf.

Diese Straße, die nie einen Morgen erschwingt,
Muß ich weiter schweifen durch Schneien und Wind,
Allein, — doch unrettbar umwest und umdingt.

Das Lied der Ahnen

Dein Leib ist unsre Gabe,
  Merk dir's, nicht deine Habe!
Er ward von uns in guten, eignen Tagen
Schön durchgewetzt und abgetragen.
  Wir liehen dir dein Fleisch als Rock,
  Dein Rückengrat als Wanderstock.
Den abgeschabten Stoff mußt du besonders schonen.
    Tu nicht groß, gib acht!
  Beug dich, beug dich unsrer Macht!
Wir sind Herrn im Haus, wo wir als Mieter wohnen.

  Gedanken, Worte, Taten,
  Nur uns sind sie geraten.
Und was du glaubst zu sagen und zu sammeln,
Ist Nachgestottertes und Kinderstammeln.
  Du aber siehe unsern Fleiß,
  Sieh, wie wir kräftig oder greis
In deinem Haupte basteln, beten, lehren.
    Hör das Lärmen an,
  Gib dich hin, erkenne, Mann,
Daß du nur ernährst, die dich ernähren.

Und läßt du es dir schmecken
Beim Braten und beim Wecken,
Wir Frauen sind es, die auf geile Weise
Sich wählen *ihre* Kost in *deiner* Speise.
   Dann, nach dem überwürzten Schmaus
   Suchen wir dir die Weibse aus.
Und so regieren wir dein Fressen und dein Freuen.
   Bett- und Topfgeguck
   Duld es, und kein Aufgemuck!
Was wir vorgekaut, du darfst es wiederkäuen.

   Wir lungern an der Schwelle
   Der gotterfüllten Stelle,
Wo du ganz frei von uns bist und dein Eigen,
Selbst dort belauschen wir dein tiefstes Schweigen.
   Und kündigt Gott dir das Quartier,
   Noch eh du kalt bist, packen wir,
Und schwärmen aus und surren wie die Drohnen.
   Wie's auch will dein Tod,
   Ob zu Sternflug, ob zum Kot . . .
Wir sind da, im Wind mit dir und werweißwo zu wohnen.

JOHANNES R. BECHER

1891–1958

Päan gegen die Zeit

PÄAN schwöll gegen dich!
Dich Zeit des Bluts! Aus Moder.
Aug-Blitz dich Wrack ersticht.
Solch Huren-Schwamm-Gesicht.
Schild unserer Stirnen lodere:
Klirr Strophen Bajonett!
Der Menschheit Fahne rett . . .

Du Zeit der schwanken Throne!
Tyrannen öde Brut.
Kasern-Gewürme schlingen.
Haut-Trommeln ringsum springen
Gleich Niagara los . . .
Fleisch-Rücken fetzen Knuten.
Verdorrt treu Brüder flattern
In Gift-Wind-Feuern bloß.

Du Zeit Millionen Schlächter!
Du Mord-, Kadaverzeit!
Triumph —: o: Skalps geschwenket
Ihr Schwärme, heulend breit.
Hah! Babels Türme glänzen!
Gemäuer: Purpur-Brut.
Schwelgt zu in Licht-Karossen:
Balkon-Hauch. Schwebe-Gärten.
Wie heiligen Lilien-Schiffs!

*

Auf Dickicht-Wirrnissen fährst du, o Mensch!
Vieh hockend in buschichten Spalten, o Mensch!
Deine Wimpern: Lanzen o Mensch!
Krummes Messer, Mond-Beil, deine Brauen, o Mensch!
Kerker-Gemäuer deine Stirne o Mensch!?
Finger-Gekrall wen würgt es o Mensch!
Zähne-Gebiß wen zerhackt es o Mensch!?
Atem-Hölle entschnaubst du o Mensch . . .
Räuber-Mensch. Henker-Mensch. Mörder-Mensch. —
Räuber-Mensch. Henker-Mensch. Mörder-Mensch.
Unter, tief unter Vieh gesetzt, o Mensch.

Du Mensch: all Kreatur du zuunterst . . .
Wehe dir Mensch;
(Verräter-Mensch. Trägheit-Mensch. Kloaken-Mensch . . .)

Päan schwöll gegen dich!
Dich Mensch des Bluts! Aus Moder —

Blitz spreng der Brust verquollenen Fels!
Zerschleiß dich für und für!
Durst hetz dich hoch! Dich Aussatz krall!
Hah: wie durchschmetternd dich lawane Pfützen!
Bäume dich zerraufend: erzener Zweige.
Schaukelnd dich Krassen, prellend dich jäh.
. . .
: Bis Mensch du wieder menschwärts neigst
Dich. Brüder Flammen-Wolke steigt!

Wir erflehen die Reinheit des Menschen!
Betet für die Heimsuchung des Menschen.
Schlimmer Mensch schwoll. Schlimmer Mensch floß über . . .

Päan schwöll einzig Menschheit dir!
Allverbrüderung! Erschein Sieg!
Schöpfet den Gipfel, herausmeißelnd
    ihn aus dem zäheren Granit
    der rollenden Völker . . .
Kristall-Gipfel. Gott-Gaurisankar. Liebe Gestirn.

Spiegelbild

RAUCHGESCHWÄRZT von dem Brand,
Mitten im steinernen Sterben,
Stand eine Wand. Ein Scherben
Hing an der rauchschwarzen Wand:

Spiegel, leer und blind,
Von der Wand getragen,
Und wie von Tränen beschlagen
In dem naßkalten Wind.

Als der Spiegel zersprang,
War in der Welt ein Zittern,
Unter fallenden Splittern
Zog ein Gewitter entlang.

Und es war wie ein Schrei,
Spiegelnd flüssiges Feuer,
Unter dem Sturz der Gemäuer
Brach der Spiegel entzwei.

Durch die Welt ging ein Sprung,
Und zugleich mit den Dingen
Schien ein Herz zu zerspringen
In der Verdunkelung.

Seht, der Spiegel zerbrach!
Mitten im steinernen Sterben
Hängt an der Wand ein Scherben,
Blickt durch die Trümmer euch nach.

Wer in dem Spiegel je las,
Hat von dem Ende gelesen
Der gebrochenen Wesen
In dem brüchigen Glas.

Wer in den Spiegel je sah,
Sah die im Feuer Erstickten,
Die in den Spiegel noch blickten,
Kurz bevor es geschah.

Wer in den Spiegel geblickt,
Kann von dem Blick nicht mehr lassen,
Läßt ihn der Blick auch erblassen.
Wer in ihn blickt, der erschrickt

Vor dem sich spiegelnden Nichts
Einer Welt, die zersprungen,
Und, vom Nichts durchdrungen
Seines eigenen Gesichts,

Blickt er, als würde der Raum
Sinken und sich übersteigen,
In das gläserne Schweigen,
Und Gewölk wie von Traum —

Nichts-Unendlichkeit,
Spiegelnd sich in einem Scherben,
Mitten im steinernen Sterben —
Spiegelbild unserer Zeit.

WERNER BERGENGRUEN *471-472 ff.*

1892–

Ballade vom Wind COMPOUNDS

NOT ALL

PREIST den Wind! Gott gab dem Winde *INVOCATION AND*
oberhalb der Erdenrinde *DESCRIPTION*
alles in sein Eigentum,
alle Meere, alle Länder, *BRISK LIST IN MSTRS*
gab ihm Masken und Gewänder: *TO BE USED FOR*
Tramontana und Samum, *NARRATIVE*
Zephyr, Blizzard, Föhn und Bora,
Mistral, Eurus und Monsun, *East Wind*
Hurrikan, Passat und Ora *trade-wind*
und Tornado und Taifun. *In China seas*

Schuf ihn zum Herold und Herrn der Gezeiten, *METRE CHANGES*
ließ ihm Willkür und gab ihm Gesetze, *FOR 30 LINES*
Sternenbilder heraufzugeleiten *FOR DESCRIPTION*
und dem Gewitter den Weg zu bereiten, *OF WIND'S*
wies ihm Rennbahn und Ruheplätze. *CHARACTER.*

Wälderdurchbrauser und Steppendurchschweifer,
dunkler Bläser und heller Pfeifer,
hetzt er Schwalbe und Kormoran,
wühlt in den Mähnen der jagenden Rosse,
schleudert er Drachen, Schiffe, Geschosse, *shoots*
Adler und Geier aus ihrer Bahn.

Kerzenverlöscher und Flammenschürer,
Nebelzerteiler und Wolkenführer,
schäumiger Wellen johlender Freier,
Trinker der Tränen, Zerreißer der Schleier,
rauchblau, schwärzlich und hagelweiß,
Tücherbauscher,
Seelenberauscher,
kindlicher Spieler und zorniger Greis.

Ungebändigt im Springen und Streunen,
reißt die Dächer er von den Scheunen
und von den Herzen die Schwermut los,
kühner Beflügler, ewiger Dränger,
mächtiger Löser und Kettensprenger,
Felsenrüttler und Wipfelbeuger,
großer Zerstörer und größerer Zeuger,
Flötenruf und Posaunenstoß,
reisiger Feger des Himmelshauses,
Abbild des pfingstlichen Geistgebrauses —
preiset den Wind! Der Wind ist groß.

Als der alte Ruhelose,
Segelmacher, Seebefahrer
früh am Sankt Josephitag
auf dem letzten Bette lag,
und die junge Krankenschwester
mit der weißen Flügelhaube
sich zu ihm herniederbeugte,
fuhr erschrocken sie zurück.
Von den bartumstarrten Lippen
sprang ihrs wie ein Stoß entgegen,
und der Haube weiße Flügel
flatterten wie Schneegewölk.
Wars ein Aufschrei, dem die Laute
nicht mehr sich gefügig zeigten?
Wars ein Seufzer, wars ein Hauch?
Schreie nicht noch Seufzer haben

solche Kraft und solche Wildheit.
Nein, die ruhelose Seele
schied sich ungestüm vom Leibe,
und die Schwester schlug ein Kreuz.
Schloß ihm mit geübten Händen
sanft die wasserblauen Augen,
öffnete den Fensterspalt.

Hui! Da schoß es durch das Zimmer
aus des Bettes Ecke her.
Bilder klirrten an den Wänden,
Glasgefäße auf dem Tisch.
Mit Gefauche und Gezisch *snarling*
stieß es an die Spiegelscheibe,
trübte sie für Augenblicke.
Wie ein eingeflogner Vogel
prallte es von Wand zu Wand,
bis es blind das Fenster fand.

Draußen heulten die Gefährten,
Totengeister, Wirbelwinde,
Wolkenreiter, Wasserfurcher
ihrem endlich Heimgekehrten
tausendstimmig zum Empfang.
In den Telegraphendrähten
brauste wilder Märzgesang,
daß die Fahnen an den Stangen,
Hemden sich am Seile blähten,
vom Gesims die Regentraufen,
Schindeln von den Dächern sprangen.
Fetzen, Staub und Kehrichthaufen
wirbelten aus ihrer Ruh.
Und wie leichte Sommerfäden
bogen sich die Lindenäste.
Zweige brachen, Blitzableiter

rasselten und Fensterläden,
Türen schlugen krachend zu.

Die vertrauten Sturmgeschwister,
Wasserfurcher, Wolkenreiter,
Wirbelwinde, Totengeister
stoben weiter.
Und sie fauchten in Spiralen
um ergraute Kathedralen,
rannten auf den Orgelboden,
griffen, rasende Rhapsoden,
in die Pfeifen und Register,
jagten aus den Wolkenhöhen
immer wilder, immer gröber
weißlichgraue Regenböen,
Sonnenstrahlen, Schneegestöber,
Hagelschloßen vor sich her,
zausten Schiffe in den Häfen,
peitschten das geliebte Meer,
tobten um der Berge Schläfen,
stürzten sich auf Bruch und Forsten,
daß die schwarzen Tannenborsten
tief sich bogen, hoch sich sträubten.
Ohne Pause und Erlahmen
liefen sie durch Sumpf und Heiden,
durch das bleiche Gräserhaar,
griffen sie nach Nuß und Weiden,
daß zu schäumendem Besamen
herrlich Gold und Silber stäubten!

Und der alte Ruhelose,
Segelmacher und Matrose
jagte mit der Geisterschar
aller Gräberwelt zu Häupten,
dem Lebendigen zum Preise,
wie es vor dem Anfang war.

Also trieben sie die Reise,
trunken, als ein toller Schwall, *surging throng* .
fuhren sie in Windgottsweise
jauchzend um den Erdenball.

Efeuballade

DIE Kinder waren gnomenklein.
Vier Gruben hob ich aus.
Vier Efeupflanzen senkt ich ein
am neu erstellten Haus.

O immergrünendes Gelock, *mass of curls (colloquial)*
von großer Kunde schwer,
des Weines dunkler Bruderstock
und gottgeweiht wie er!

Dem Frühling gibst du deine Frucht
und blühst im späten Jahr,
ein Fremdling in der Zeitenflucht
und unveränderbar.

Du windest zäh und schlangengleich
dich aus verborgner Welt,
des Tages gastlichem Bereich *reputable administer*
als Mahner zugesellt.

Die junge Hausung schlossest du
an stummen Vorzeitbann, *past ages*
an Wiederkehr und Schattenruh
und kühle Dauer an.

Und wie ein Spiegel blank und glatt
und mit gelassnem Sinn,
so gabst du nächtlich Blatt um Blatt
den Mondenstrahlen hin.

Es bot dein raschelndes Geflecht
dem Herbstwind irre Rast.
Der Toten währendes Geschlecht
ludst du bei mir zu Gast.

Du kränztest gern zum Namenstag
den Kindern Tisch und Tuch,
und manchmal mir als Zeichen lag
ein grüner Pfeil im Buch.

Rostrot hat dich der Frost verbrannt,
so schnitt ich Trieb um Trieb,
und nur im schwarzgedüngten Land
das Wurzelwerk verblieb.

Viel Gärtnermühe habe ich
und Lieb daran gesetzt
und alle vier geschwisterlich
gewartet und genetzt.

Und sieh, der Efeu quoll und schwoll,
getreu wie Grab und Eid.
Er klomm geduldig Zoll um Zoll
und maß geheim die Zeit.

Verwichnes Jahr kam in das Haus
ein neuer Wirt herein.
Der reutete den Efeu aus
und setzte wilden Wein.

Das war mir leid, doch weiß ich ja,
daß nie ein Ende ist,
und was in rechtem Sinn geschah,
geschah für alle Frist.

Was ich gepflanzt, verblieb in Kraft,
und also, immer neu,
rankt unterm Weine geisterhaft
die tausendarmige Treu.

Der Gast

WOVON bin ich erwacht?
War es der Schlag der Uhr?
War es die tiefe Stille nur
der bangen Nacht?

Da hör ich einen fernen Schritt,
der hartgefrorne Boden klirrt.
Und näher kommt es, Tritt auf Tritt,
im Regelmaß und unbeirrt.

Der Weg verkürzt sich, Stück für Stück,
die Öde wirft den Schall zurück.
Ein Hund schlägt an.
Mein Herz erstarrt.
O tödlich schwerer Bann!
Der Schritt verstummt,
die Gartenpforte knarrt.
Der Schritt erhebt sich neu,
setzt wieder aus —

Da birst die Wand, die mir den Blick vermummt!
Die Uhr bleibt stehn, der Atem schweigt,
ich seh durch Mauern und Gebäu:
Es steht vor meinem Haus
ein Fremder, schattenhaft geneigt.

Dann seh ich, wie der späte Gast
die Hand erhebt und ohne Hast
nach meines Hauses Klinke faßt.

Die Ausgeschlossenen

WIE früh fällt die braune
Dämmerung des Herbstes ein!
Die Toten stehen am Zaune
und starrn in den Feuerschein.

Sie spüren, daß hinter den Scheiben
die uralte Herdzeit beginnt.
Draußen im Feuchten treiben
Raschelblätter im Wind.

Das Fensterglas ist vergittert,
die Ritze geschlossen mit Kitt.
Und das Frösteln der Toten zittert
in allem Lebenden mit.

Die letzte Epiphanie

ICH hatte dies Land in mein Herz genommen.
Ich habe ihm Boten um Boten gesandt.
In vielen Gestalten bin ich gekommen.
Ihr aber habt mich in keiner erkannt.

Ich klopfte bei Nacht, ein bleicher Hebräer,
ein Flüchtling, gejagt, mit zerrissenen Schuhn.
Ihr riefet den Schergen, ihr winktet dem Späher
und meintet noch Gott einen Dienst zu tun.

Ich kam als zitternde geistgeschwächte
Greisin mit stummem Angstgeschrei.
Ihr aber spracht vom Zukunftsgeschlechte
und nur meine Asche gabt ihr frei.

Verwaister Knabe auf östlichen Flächen,
ich fiel euch zu Füßen und flehte um Brot.
Ihr aber scheutet ein künftiges Rächen,
ihr zucktet die Achseln und gabt mir den Tod.

Ich kam als Gefangner, als Tagelöhner,
verschleppt und verkauft, von der Peitsche zerfetzt.
Ihr wandtet den Blick von dem struppigen Fröner.
Nun komm ich als Richter. Erkennt ihr mich jetzt?

WERNER BERGENGRUEN

An die Völker der Erde

ZWÖLF, du äußerste Zahl
  und Maß der Vollkommenheiten,
Zahl der Reife, der heilig gesetzten!
  Vollendung der Zeiten!
Zwölfmal ist das schütternde Eis auf den
  Strömen geschwommen,
zwölfmal das Jahr zu des Sommers
  glühendem Scheitel geklommen,
zwölfmal kehrten die Schwalben,
  weißbrüstige Pfeile, nach Norden,
zwölfmal ist gesät
  und zwölfmal geerntet worden.
Zwölfmal grünten die Weiden
  und haben die Bäche beschattet,
Kinder wuchsen heran
  und Alte wurden bestattet.
Viertausend Tage,
  viertausend unendliche Nächte,
Stunde für Stunde befragt,
  ob eine das Zeichen brächte!
Völker, ihr zählt, was an Frevel
  in diesem Jahrzwölft geschehen.
Was gelitten wurde,
  hat keiner von euch gesehen.
Keiner die Taufe, darin wir getauft,
  die Buße, zu der wir erwählt,
und der Engel allein
  hat Striemen und Tränen gezählt.
Er nur vernahm durch Fanfarengeschmetter,
  Festrufe und Glockendröhnen
der Gefolterten Schreien,
  Angstseufzer und Todesstöhnen,
er nur den flatternden Herzschlag
  aus nächtlichen Höllenstunden,

er nur das Wimmern der Fraun,
   denen die Männer verschwunden,
er nur den lauernden Schleichschritt
   um Fenster und Pforten,
er nur das Haßgelächter der Richter
   und Häftlingseskorten . . .
Völker der Welt,
   die der Ordnung des Schöpfers entglitt,
Völker, wir litten für euch
   und für eure Verschuldungen mit.
Litten, behaust auf Europas
   uralter Schicksalsbühne,
litten stellvertretend
   für alle ein Leiden der Sühne.
Völker der Welt,
   der Abfall war allen gemein:
Gott hatte jedem gesetzt,
   des Bruders Hüter zu sein.
Völker der Welt, die mit uns
   dem nämlichen Urgrund entstammen,
zwei Jahrtausende
   stürzten vor euren Grenzen zusammen.
Alles Schrecknis
   geschah vor euren Ohren und Blicken,
und nur ein Kleines war es,
   den frühen Brand zu ersticken.
Neugierig wittertet ihr
   den erregenden Atem des Brandes.
Aber das Brennende war
   der Herzschild des Abendlandes!
Sicher meintet ihr euch
   hinter Meeren und schirmendem Walle
und vergaßt das Geheimnis:
   was einen trifft, das trifft alle.
Jeglicher ließ von der Trägheit des Herzens
   sich willig verführen,

jeglicher dachte: „Was tut es . . .
    an mich wird das Schicksal nicht rühren . . .
ja, vielleicht ist's ein Vorteil . . .
    das Schicksal läßt mit sich reden . . ."
Bis das Schicksal zu reden begann,
    ja zu reden mit einem jeden.
Bis der Dämon, gemästet,
    von unserem Blute geschwellt,
brüllend über die Grenzen hervorbrach,
    hinein in die Welt.
Völker der Erde,
    ihr haltet euer Gericht.
Völker der Erde,
    vergeßt dieses eine nicht:
immer am lautesten
    hat sich der Unversuchte entrüstet,
immer der Ungeprüfte
    mit seiner Stärke gebrüstet,
immer der Ungestoßne gerühmt,
    daß er niemals gefallen.
Völker der Welt,
    der Ruf des Gerichts gilt uns allen.
Alle verklagt das gemeinsam Verratne,
    gemeinsam Entweihte,
Völker, vernehmt mit uns allen
    das göttliche: Metanoeite!

GERRIT ENGELKE
1892–1918

Lied der Kohlenhäuer

Wir wracken, wir hacken,
Mit hangendem Nacken,
Im wachsenden Schacht
Bei Tage, bei Nacht —

Wir fallen und fallen auf schwankender Schale
Ins lampendurchwanderte Erde-Gedärm —
Die andern, sie schweben auf schwankender Schale
Steilauf in das Licht! in das Licht! in den Lärm.
Wir fallen und fallen auf schwankender Schale —
    Wir wracken, wir hacken,
    Mit hangendem Nacken,
    Im wachsenden Schacht
    Bei Tage, bei Nacht —

Wir wühlen und wühlen auf wässernder Sohle,
Wir lösen vom Flöze mit rinnendem Schweiß
Und fördern zutage die dampfende Kohle.
Uns Häuern im Flöze ist heißer als heiß —
Wir wühlen und wühlen auf wässernder Sohle.
    Wir wracken, wir hacken,
    Mit hangendem Nacken,
    Im wachsenden Schacht
    Bei Tage, bei Nacht —

Wir pochen und pochen, wir bohrenden Würmer,
Im häuser- und gleisüberwachsenen Rohr,
Tief unter dem Meere, tief unter dem Türmer, —
Tief unter dem Sommer. Wir pochen im Rohr,
Wir pochen, wir pochen, wir bohrenden Würmer.
    Wir wracken, wir hacken,
    Mit hangendem Nacken,
    Im wachsenden Schacht
    Bei Tage, bei Nacht —

Wir speisen sie alle mit nährender Wärme:
Den pflügenden Lloyd im atlantischen Meer:
Die erdenumkreisenden Eisenzug-Schwärme:
Der Straßenlaternen weitflimmerndes Heer:
Der ragenden Hochöfen glühende Därme:
Wir nähren sie alle mit Lebensblut-Wärme!

Wir wracken, wir hacken,
Mit hangendem Nacken,
Im wachsenden Schacht
Bei Tage, bei Nacht —

Wir können mit unseren schwieligen Händen
Die Lichter ersticken, die Brände der Welt!
Doch — hocken wir fort in den drückenden Wänden:
Wir klopfen und bohren und klopfen für Geld —
Doch hocken wir fort in den drückenden Wänden:
Und wracken und hacken,
Mit hangendem Nacken,
Im wachsenden Schacht
Bei Tage, bei Nacht —

Wir pochen und pochen durch Wochen und Jahre,
Wir fahren lichtauf — mit „Glückauf!" dann hinab —
Wir pochen und pochen von Wochen — zur Bahre —
Und mancher schürft unten sein eigenes Grab —
Wir pochen, wir pochen durch Wochen und Jahre.
Wir wracken, wir hacken,
Mit hangendem Nacken,
Im wachsenden Schacht
Bei Tage, bei Nacht.

An den Tod

Mich aber schone, Tod,
mir dampft noch Jugend blutstromrot, —
noch hab' ich nicht mein Werk erfüllt,
noch ist die Zukunft dunstverhüllt —
drum schone mich, Tod.

Wenn später einst, Tod,
mein Leben verlebt ist, verloht
ins Werk — wenn das müde Herz sich neigt,
wenn die Welt mir schweigt —
dann trage mich fort, Tod.

ADOLF VON HATZFELD

1892–1957

Elegie

NUR die Stille singt
in meinem Zimmer,
und sie klingt
von dir wie immer.
Immerfort allein,
immer denk ich dein
in dem trauervollen Abendlande,
in dem roten Feuerbrande,
der in meines Fensters Scheiben steht.
Wer behütet mich?
Wer behütet dich?
Sag, behütest du die trauervolle Flur?
Wenn der Abend sinkt,
ruf ich laut noch einmal
deinen Namen,
und das Echo bringt
aus dem dunklen Tal
mir zurück nur: Amen, Amen.
So soll es geschehn.
Einsam soll ich gehn und stehn in meinem Zimmer,
lauschen, wenn die Stille furchtbar singt,
daß sie klingt
von dir und mir wie immer.

Der Jüngling

GAB es, was ich nicht liebte? Sieh die Frauen.
Sie nahmen mich, als ich mich ausgeteilt,
doch keine hat in meinem Geist gedauert,
wohl mich in dunklen Nächten überschauert,

188

doch keine die Zerrissenheit geheilt,
und deshalb blüht in mir auch kein Vertrauen.
Ich weiß es, daß ich manchmal lügen muß,
weil ich mir fremd bin und weil jeder Kuß
sich selten löst von seiner Eitelkeit,
und doch hab ich von diesen Fraun gesungen,
den Altvertrauten, den Erinnerungen
an eine frühere Gemeinsamkeit.
Und nachts aus dunklem Schlaf die Klage brach:
Weshalb, mein Gott, hast du am zweiten Tag
aus meiner Rippe mir ein Weib gestaltet?
Oh, wäre deine Schöpferkraft erkaltet,
als ich allein vor deinen Händen lag.
So bin ich Sehnsucht, ewig suchend sie,
die sich in mir, in der ich mich vollende,
Geliebte, komm, umfasse meine Hände
und schließ den Kreis der alten Harmonie.

Reitjagd

Die Jagd ist los. Das Halali wird rot.
Die Wälder welken schwer im Goldbrokat.
Dumpf durchgepulst von unsrer Tat,
als ob wir Blut gerochen,
sind wir zum Jagen aufgebrochen.
Die Jagd ist los. Das Halali ist rot.
Wir reiten einen Keiler in den Tod.
Wir sind die Herren, wir im roten Frack,
mit weißem Band um unsern Schuh von Lack.
Noch eine Stunde darf der Keiler leben,
und nur von unsern Gnaden
darf sich das Tier noch einmal ganz in Sonne baden,
bis dann zu unserm Zeitvertreib,
zum wilden Spiel der Hunde,
das Tier in Todeswunde

und fürchterlicher Not
hinstreckt den willenlosen Leib.
Die Jagd ist aus. Das Halali ist rot verhallt.
Es stirbt den braunen Tod der braune Wald.
Und einer weiß: Der nasse Schweiß,
der aus des Tieres blasser Angst sich brach,
das war dein Todesschweiß.
Des Tieres Blut, das auf dem Acker lag,
aus Schaum und Wut,
das war dein Blut.
Des Tieres letzter Augenblick,
die Hunde im Genick,
das ist dein Tod.
Auch du bist Spielball nur in Händen von Dämonen.
Sie werfen dich in Irrsinn, Qual und Tod.
Sie höhnen deine Angst, dein Flehen um Verschonen,
bis du zu ihrem Zeitvertreib
in fürchterlicher Not
hinstreckst den willenlosen Leib.
Die Jagd war aus. Das Halali war rot verhallt.
Es liegt in Agonie der braune Wald.

JOSEF WEINHEBER

1892–1945

Mit halber Stimme

NIMM des Menschen Dunkelstes: *Dies* ist ewig.
Nimm aus weher Brust das Verlorne, hauch die
Scham, die Sehnsucht, flüstre das Weinen in die
Stille des Abends,

die Gedanken vor dem Entschlafen; alle
hingehauchten Worte der Herbstnacht, alle
einsam armen Wege, die Trauer und das
Ende der Liebe.

Wie ein Sturm ist menschliches Leid und wie das
ferne Spiel von Harfen; das tiefste aber
ist ein Strom: nicht strömt er von hier, er flutet *[UNIVERSAL FEELING: GROUNDED IN LIFE]*
inner der Erde.

Nimm das Leid und mach es zum Liede: Welches *[POETRY IN SUFFERING]*
Lied ist süßer, welches mit Würde leiser!
Gleich dem wunden Mund der Geliebten, nachher;
oder dem kargen

Lächeln eines Sterbenden. Immer werden
an den Grenzen groß die Gefühle. Denn im
Übergang ist Weihe und Muß und jene
Todkraft des Opfers —:

Bittrer Becher, sei uns gesegnet! Ach, wer
leidet denn genügend — und wer denn wurde *[IN PRAISE OF SUFFERING]*
je zu tief gehöhlt, dem die streng gespannte
Saite erbebte?

Das reine Gedicht

[SIMPLE, REGULAR FORM FOR DIFFICULT STATEMENT DIRECTLY MADE | CONTRAST PREVIOUS POEM] *[CF P.195]* *[AGAIN MYSTERY OF POETRY: SEE PREVIOUS POEM]*

Du gabst im Schlafe, Gott, mir das Gedicht.
Ich werde es im Wachen nie begreifen.
Nachbildend Zug um Zug das Traumgesicht, *[HEARD MELODIES?]*
nur sehnen kann ich mich und Worte häufen. *[CF P.196(a) (INADEQUACY OF WORDS)]*

Da es ein Klang war, sollt ich es nicht hören?
Da es ein Bild war, sollt ich es nicht sehn?
Nun wird die Oberfläche mich betören,
im Tonfall wird der Klang zuschanden gehn. *[cadence, inflexion.]*

Wie war es doch? Es war in seligem Traume.
Nur noch in solchem Wachsein lebe ich. *[PARADOX CF SHAKESPEARE SONNET.]*
Die Augen schließend, raubt es mich dem Raume.
Traum schlägt den Blick auf, und ich schaue dich. *[CF. Sonn? | CHANGES OF ADDRESS: GOD TO POEM.]*

[CF. Sonn WORDS: IMPORT QUITE DIFFERENT (P.192)]

[CF P.206]

Der Baum

VOR meinem Fenster steht ein Baum.
Es ist ein Baum und keiner doch.
Hofmauern rauben ihm den Raum.
Sein Himmel ist ein Zellenloch.

Im Frühjahr treibt er greis und blaß
— er blühte nie — sein Laubwerk aus.
Dann starren Augen, groß vom Haß,
auf dieses Fest im Hinterhaus.

Kommt Sonne, ging sie eben fort.
Kommt Wind, so heißt er Stank und Stein.
Wird Sommer, war der Herbst schon dort.
Wird Herbst, fiel längst der Winter ein.

Um seinen Stamm kein Reigensang.
In seinem Schatten keine Rast!
Die Ratten rascheln nächtelang
und knabbern an dem Lederbast.

Ist nicht ein Baum, mit Wurzeln fest,
mit praller Frucht und runder Kron,
mit biegsam kräftigem Geäst
des Lebens bester, schönster Sohn?

Hat jemand Heimat so wie er?
So jemand zeugende Gewalt?
So Mutterkraft, so Weisheit schwer,
so ahnensichre Wohlgestalt?

Dagegen dieser! Schande, Schmach!
Er ist ein Baum und keiner doch.
Er trauert seinem Leben nach,
Gefangener im Zellenloch.

Gebt Raum, ihr Mauern! Himmel, brich
herab auf ihn und mach ihn frei!
Er blühte nie! Er martert mich!
Er ist mein Herz! Mein Lebensschrei!

Selbstbildnis aus dem Jahre 1926

UNFREI und feige: Vierunddreißig Jahre
der bittern Armut trag ich auf dem Rücken.
Ein Joch, nicht abzuschütteln, eine wahre
und ganze Hölle: Flammen, Martern, Tücken,

Entehrungen, Verhöhnung, Mitleid, Schande!
Der schweigenden Geduld versalznes Brot.
Das ewige Stehn, geduckt am Straßenrande.
Aus frühem Abend dämmernd: Wahnsinn, Tod.

Um mich ein Volk gespenstischer Pygmäen,
geführt von Schurken und Analphabeten:
So darf ich jeden Morgen auf den Zehen
den heiligen Bezirk der Kunst betreten.

So darf ich jeden Morgen neu mich rüsten,
bereiter Knecht zu sein jedwedem Knecht;
mich jeden Abend einer Freiheit brüsten,
die aus dem Weine schlürft ihr irres Recht.

Ein Achselzucken starrem Bürgerstolze,
von Blut noch Bauer, hörig schon den Schloten:
Ich habe alle Kraft aus Kron und Holze
für ein Stück Wurzelerdreich aufgeboten.

In eine Zeit ohnmächtiger Tat geboren,
rase ich blind durch schöpferischen Traum;
Zyklop, aus grauem Heidentum verloren
in diese fehle Welt aus Dunst und Schaum.

Den Glauben und die Hoffnung und die Liebe,
ich mußte sie erdrosseln und begraben.
Im wüsten Trauerspiel der Geltungstriebe
als Mörder darf ich meine Rolle haben.

Mit siebenunddreißig

DIE ferne Spur, der Liebe Spur
längst verweht.
Im Traum bisweilen ein Stöhnen nur.
Spät zieh ich, tückischer Bürger, die Uhr —
Zu spät . .

Wie komme ich aus? Aus der Zeit, aus dem Haus?
Alle Türen bewacht!
Und vor der letzten immer der Tod,
jetzt immer der Tod,
Tag und Nacht!

Kein Heil, kein Trost, kein Vergessen, nichts.
Es ist das Schweigen des Jüngsten Gerichts.

Auch kein Gott.
Trotz den hundert Kirchen, kein Gott.
Nur dies in mich
eingekerkerte Ich,
meines Fleisches Spott,
meine kalte Haut,
mein Herz, vor dessen Schlag in der Nacht
mir fürchterlich graut.

Bild, von einem Höheren gemalt

DIES ist mein Bild. Das bittre Fleisch beruht.
Im Leben ist nicht soviel Untergang.
Hier starb zuviel. O Vater, mach es gut!
Du kannst es nicht? Das fürchtete ich lang.

Du bist ein Maler, wie ich keinen sah.
Du malst mir Hände, breit und viel zu groß.
Wenn ich dir klage, stehst du ehern da
und läßt im Hintergrund die Teufel los.

„Ich hab dich für die Ewigkeit gemalt."
Was für ein Wort! Wie feige und wie klein!
Der Bettler hat die ganze Schuld bezahlt.
Was soll es noch? Er will nicht „ewig" sein.

Mal mir ein zartes Kinderangesicht
und einen Garten und ein Haus darin
und eine sanfte Frau — Das kannst du nicht?
Ich fürchtete es lang. Von Anbeginn . .

Böse Verzauberung

Es ist in einem fremden Land.
Es ist in einem fremden Haus.
Am Tisch ein welker Blumenstrauß.
Und leiser Regen fällt.

Hier war ich einmal, eh ich war.
Und dann vergaß ich Berg und Baum.
Nur manchmal grüßt dies Land im Traum.
Da ist der Turm und winkt.

Ich weiß nicht, was in dieser Frist
noch mein ist. Es verwirrt sich so.
Als ich noch gut war, war ich froh.
Der böse Regen fällt.

Ich kann nicht denken. Mir ist bang.
Es ist in einem fremden Haus.
Die Sprache sagt es auch nicht aus.
Es fällt wie in ein Grab . .

JOSEF WEINHEBER

Mit fünfzig Jahren

I

GESCHWÜR, das sich nicht schließt,
Verwundung, die nicht heilt.
Traumschatten, der zerfließt,
Tag, der vorübereilt —

Vielleicht, daß einer spät,
wenn all dies lang' vorbei,
das Schreckliche versteht,
die Folter und den Schrei —

und wie ich gut gewollt
und wie ich bös getan;
der Furcht, der Reu gezollt
und wieder neuem Wahn —

und wie ich endlich ganz
dem Nichts verfallen bin
und der geheime Kranz
mir sank dahin:

II

Hineingeboren in mein Ich,
ich hatte nichts zu tun als echt zu sein.
Doch diese Welt stand fürchterlich
dagegen auf, mit blutigem Widerschein.

Nun steh ich da, entlaubt, entnervt, entehrt.
Und sie, die Zeit, sie hätte nichts daran
verschuldet? Wie die Zeit sich wehrt!
Sie schiebt es ab, sie spricht sich frei vom Wahn —

Doch ich, für mich allein, muß meinen „Ruhm"
austragen dennoch: Niemals vorher war
einer so Volk. Und Volk ist Duldertum,
und ich ein Dulder, den das Volk gebar.

Was will die Zeit von mir? Ward mir Gebühr?
Geehrt hat mich die Macht, doch nicht gefragt.
So schließt sich nimmer das Geschwür.
Und alles, was ich sprach, bleibt ungesagt.

III

Für die Seel geringsten Raum
hätt' ich mir ersehnt;
fern dem Ehrgeiz, nah dem Traum,
und von Kunst verschönt.

Hab ich denn gedurft, was Tier,
Stein und Pflanze darf?
Da man mich der Mengengier
In den Rachen warf?

Hier in diesem sondern Land,
einst von Liedern drang,
leid ich nun, ins Haus gebannt,
an dem Mißgesang.

Lebe so . . Der Bauer nimmt
mein gerechtes Geld.
Aber seine Welt, sie stimmt
nicht mit meiner Welt.

Und die größre Welt, sie hat
Rasendes zu tun.
Bleibe so Geschöpf der Stadt,
auch in Bauernschuhn —

Wie Ovid, in Trauer, wein
ich der Heimat nach.
Habe keine. Habe kein
eigenes Gemach.

Ganz ist die Verbannung, ganz.
Der von außen faßt
nur den Schein, den Aberglanz,
nicht die innre Last —

Ach, ein Berg Verlassenheit
liegt auf meiner Brust.
Meins und alles Daseinsleid
ist mir grau bewußt . .

IV

Ich will von dem nichts reden,
was jeder Zeit gemein.
Die Furchen und die Fäden
des Alters sind auch dein,

und sterben müssen wir alle.
Ich aber klage an,
weil ich im Sündenfalle
nichts Schuldiges hab getan.

Die Zeit, die Zeit verriet mich,
und darum klage ich an.
Das Leid, das Leid geschieht mich,
und darum klag ich an —

Ich klage an, ich klage
den Wahn an und das Leid.
Ich selbst bin nur die Waage
künftiger Menschlichkeit.

V

Ist es zu tragen? Mich,
Meins habe ich kaum gesehn.
Einsam und lächerlich.

Bitter, das zu gestehn!
Meins hieß immer: *Der Mensch.* Aber der
schändet mein Untergehn.

Blut, Mord, Frevel, Bezicht:
Das ist der Mensch — Und ich
trage sein Angesicht.

Wo ist annoch Gewähr?
Stürzt *er,* stürzt das Meinige auch.
Schläft Gott? Ist er nicht mehr?

Trümmer und Rauch . .

VI

Was wird uns denn erlösen,
wenn es nicht dieses ist?
Errettet kann werden vom Bösen,
wer sich am Bösen mißt.

Ich war gewillt, mich zu messen.
Mich bringt kein Traum zur Ruh.
Ich habe nichts vergessen,
ich lüge nichts dazu,

das Gottsein und das Tiersein
zerlebte ich Zug um Zug.
Ein halbes Jahrhundert Hiersein
war Schule genug . .

MAX BARTHEL

1893–

Mühle zum Toten Mann

In der Mühle zum Toten Mann
sind die Räder und Riemen verstummt.
Als der wütende Krieg in den Argonnen begann,
haben sie sich in Schweigen gemummt.

In der nachtgrünen Wildnis klirrten Gefechte.
Mit einem Mal
kam der uralte Sprung an die Kehle wieder zu seinem Rechte
und triumphiert' in der menschlichen Qual.

Der Müller war längst aus der Mühle entflohen.
Die blitzenden Fenster waren verstaubt und blind,
als aus des Schlachtfeldes donnernden Lohen
die blutig Zerschoßnen gekommen sind.

Nun mahlt die Mühle in den einsamen Stunden
der fiebernden Nächte frierenden Ruhm,
nun mahlt die Mühle aus den klaffenden Wunden
das blutbeschmierte Heldentum.

Die Mühle liegt schön am schilfumwucherten Teiche.
Dort schwimmen Enten und schnattern dazu . . .
Oft tragen Soldaten aus der Mühle zum Toten Mann eine
    Leiche
und graben ein Grab zur schweigenden Ruh'.

Mädchenlied

Nicht in Rußland,
nicht in Flandern,
nicht in Polen
steht mein Schatz,

in dem Blutwald
der Argonnen
ist zwei Jahre
schon sein Platz.

Märzwind schrie,
da zog mein Liebster,
zog mein Herz
mit in den Krieg.
Und es gingen hin
zwei Jahre,
Sturm und Sterben,
Tod und Sieg.

Ach, wie habe
ich geblutet,
ach, die Sehnsucht
macht mich blind!
Denke ich an
die Argonnen,
bläst um mich
der Gräberwind.

Hunderttausend,
hunderttausend
sind gestorben
und verdorrt,
hunderttausend,
hunderttausend
leben in den
Gräben fort.

Frankreich, Frankreich,
arme Erde,
vom Granatenschlag
durchsiebt,

tote Dörfer,
tote Wälder,
die mein Herz
mit Inbrunst liebt.

Frankreich, Frankreich,
teure Erde,
die im Blut
und Leid ertrinkt,
hab Erbarmen
mit der Armen,
die um ihren
Liebsten ringt.

Die Richter

UND immer brachen die Richter den Stab:
Kolumbus, Münzer und Huß.
Der eine stieg mit den Ketten ins Grab,
der starb im feurigen Kuß.
Der wurde gerichtet und jener vernichtet,
und der ist im Kerker verreckt,
das kam: Sie hatten Neuland gesichtet
und Paradiese entdeckt!

Sie wurden gefangen und rechtlos erklärt
im eisernen Käfig der Zeit,
denn wer hinaus ins Unendliche fährt,
der fährt in die Ewigkeit.
Gesetz kommt gekrochen. Ein Stab wird gebrochen,
der Held wird verflucht und verdammt.
Die Richter haben ihr Urteil gesprochen:
Der Held steht im Licht und flammt!

GERTRUD KOLMAR

1894—[1943/45]

Verwandlungen

Ich will die Nacht um mich ziehn als ein warmes Tuch
Mit ihrem weißen Stern, mit ihrem grauen Fluch,
Mit ihrem wehenden Zipfel, der die Tagkrähen scheucht,
Mit ihren Nebelfransen, von einsamen Teichen feucht.

Ich hing im Gebälke starr als eine Fledermaus,
Ich lasse mich fallen in Luft und fahre nun aus.
Mann, ich träumte dein Blut, ich beiße dich wund,
Kralle mich in dein Haar und sauge an deinem Mund.

Über den stumpfen Türmen sind Himmelswipfel schwarz.
Aus ihren kahlen Stämmen sickert gläsernes Harz
Zu unsichtbaren Kelchen wie Oportowein.
In meinen braunen Augen bleibt der Widerschein.

Mit meinen goldbraunen Augen will ich fangen gehn,
Fangen den Fisch in Gräben, die zwischen Häusern stehn,
Fangen den Fisch der Meere: und Meer ist ein weiter Platz
Mit zerknickten Masten, versunkenem Silberschatz.

Die schweren Schiffsglocken läuten aus dem Algenwald.
Unter den Schiffsfiguren starrt eine Kindergestalt,
In Händen die Limone und an der Stirn ein Licht.
Zwischen uns fahren die Wasser; ich behalte dich nicht.

Hinter erfrorener Scheibe glühn Lampen bunt und heiß,
Tauchen blanke Löffel in Schalen, buntes Eis;
Ich locke mit roten Früchten, draus meine Lippen gemacht,
Und bin eine kleine Speise in einem Becher von Nacht.

Die Gesegnete

ICH bin im Dunkel und allein.

Und neben mir lehnt doch die Tür.
Wenn ich sie klinke, steh ich ganz im Licht.
Da sind ein Vater, Mutter und die Schwestern,
Ein Hund, der stumm und freundlich spricht.

Wie darf ich lügen, und wie kann ich sagen,
Daß ich ins Finstre hingestoßen ward?
Ich hab mich selbst aus allem fortgetragen.

Vor meinen Augen blühte Schnee.
Ich sah, daß er die Rispen zu mir neigte,
Zu meinen Jahren, und es tat mir weh.

Ich hatte nichts, dem Alter zu versöhnen
Mein Herz, das jung und rot wie Frucht erklang,
Es an die bleiche Kühle zu gewöhnen.

Da weint ich sehr und ging
Und fand den Mann an einer Wegegabel,
War still und liebte und empfing.

Es sang in mir auf einer Geige
So süß, so leicht, im Anbeginn.
Nun singt es nicht mehr, wenn ich schweige.

Die Angst mit ihren Fleckenhänden kam,
Saß bei mir nieder, meinen Leib betastend,
Belud ein Grinsen: „Fühlst du keine Scham?

Wo blieb der Frauenring für deinen Finger?
Du fürchtest Diebe, hältst ihn brav versteckt."
Ist meine nackte Rechte denn geringer?

So arm, so nackend wird es sich
Auch meinem Schoße bald entwinden.
Und wenn ichs denken muß, umkrampft es mich.

Es krallt sich ein und läßt mich zittern,
Wie Sturm den Baum im Winterfeld
Befreit von seinen letzten rostigen Flittern.

So fegt es mir hinweg, was dünn und schal,
Die kleine Sorge, listiges Vergnügen,
Und bricht die Knospe auf der großen Qual.

Der großen Freude. O, ich will dich werfen
So wie ein Tier und glücklich sein!
Ich finde Klauen, die ein Messer schärfen.

Es ist doch Nacht. Und ist ein Ding, das Schande heißt.
Ich darf dich nicht gebären.
Ich weiß den Schnellzug, der den Wald zerreißt.

Dem geh ich zu an seinen blanken Gleisen
Und werde müd und leg mich froh zu Bett
Quer auf zwei flache Stäbe Eisen.

Die Lumpensammlerin

DIE stillen Dinge heißen tot
Und fühllos, im Verderb beständig;
Das schwitzt kein Geld, das ißt kein Brot
Und wird mir gerne doch lebendig
Und seufzt und weint und redet Not.

Wer aus der braunen Flasche trank,
Was hat er ihr den Hals zerschmissen?
Der Hut fiel leicht und welk vom Schrank;
Da liegt sein Kopf, ihm abgerissen,
Da liegt sein Rand, zerknüllt und krank.

Da hinkt ein wassersüchtig Faß,
Die Dauben wie vermorschte Zähne,
Ein Kindertier, beschmutzt und blaß,
Geschlitzt den Leib, durchfetzt die Mähne,
Und blind: kein Aug mehr, buntes Glas.

Der Schlüssel ruft die Mutter Spind,
Ein ausgelatschter Schuh den Bruder,
Und Lappen brüsten sich vorm Wind
Mit roten Tänzen, arme Luder,
Die längst verbraucht und häßlich sind.

Sanft wälzt der große Schatten sich
Vor meinen Fuß mit Sack und Karre,
Wächst dicht und grau: und wirft, wenn ich
Den heißen Stock einst stütz und starre,
Auch mich zu unserm Müll. Auch mich.

Trauerspiel

DER Tiger schreitet seine Tagereise
Viel Meilen fort.
Zuweilen gegen Abend nimmt er Speise
Am fremden Ort.

Die Eisenstäbe: alles, was dahinter
Vergeht und säumt,
Ist Schrei und Stich und frostig fahler Winter
Und nur geträumt.

Er gleitet heim: und mußte längst verlernen,
Wie Heimat sprach.
Der Käfig stutzt und wittert sein Entfernen
Und hetzt ihm nach.

Er flackert heller aus dem blinden Schmerze,
Den er nicht nennt,
Nur eine goldne rußgestreifte Kerze,
Die glitzernd sich zu Tode brennt.

Die großen Puritaner

DAS ist die Wahrheit! Und ich halte sie in der Hand.
Sie ist harsch und ist ungefüge, sie brennt und beschwert,
Ist Felsstück, gebrochen aus einem dürren, saatlosen Land —
Und was weiß sie von Goldeswert?

Und auch das ist Wahrheit, ist scharfer, schmerzender
  Stein;
Ich trag ihn: Ihr lebt ja, ihr Toten, ihr lebt; denn heut
  lebe ich.
Einmal wohl mögt ihr gestorben, mögt anders gewesen sein;
Nun seid ihr und seid so: für mich.

Ihr seid: Der am Berge die lastenden Tafeln geholt,
Stirn, von Blitzen umkrallt, Bart, vom Brausen durchfegt.
Ihr seid: Florentiner Mönch, in prasselndem Reisig verkohlt;
Ihr habt quer über die Bibel das englische Schwert gelegt

Und warfet aus Klüften den Flug und die eherne Stimme
  empor:
Milton! Seliger Vogel, singender Schwan überm Meer!
Ihr seid die Besiegten, Zerschmetterten, die Stummen des
  Thermidor —
Gewissen: euch ruf ich und liebe euch, ja, ich liebe euch
  sehr!

Doch sie schelten euch alle! Mag sein, sie schelten mit Recht,
Heißen euch Raben der Öde, nennen euch schwarz und
  hart,
Peitscher, eifernde Vögte duckigem Frongeschlecht,
Das Quadern zum Zwingturm karrt.

Denn immer habt ihr die Lauen, die Halben erbittert
    bedroht,
Gezürnt, ob die Hände klatschten, die Lippen euch Beifall
    schrien:
„Wandelt euch", habt ihr gesprochen, „seid Reine oder
    seid tot".
Nicht: „Sündigt, so wird euch verziehn".

Und habt euren Himmel nie verwölkter Begeistrung gebaut,
Die unklar schwärmt, da der Leib in seidenen Lastern ruht,
So friedvoll dem frommen Wort, dem reichlichen Mahl
    vertraut
Und gerecht sich dünkelt und gut.

Ihr aber habt den Weg mit spitzen Dornen besät;
Ihr ginget ihn selbst, und die blutige Stapfe rann.
Ihr straucheltet, rafftet euch, weintet: verleumdet, ge-
    schmäht.
Drüben lag Kanaan.

So seht meine Schwäche; wollet sie nicht verzeihn,
Nein, bürdet die Plage mir auf, die bleierne Tropfen sprengt,
Und mög euer Untergang noch die ewige Flamme sein,
Die tanzend mein Herz versengt!

Garten im Sommer

GAR nichts anderes wars; kein Vogel, kein Falter flog.
Nur ein gilbendes Blatt zitterte in den umsponnenen Weiher,
   ich sah es.
Komm.
Ach, dies tauig hauchende Gras, wie es zärtlich meine
    fiebrigen Zehen kühlt!
Bück dich ein wenig:

Haselnüsse, die wohl der große plündernde Buntspecht
    hierher verstreut hat.
Aber noch sind sie nicht reif.
Nein, ich bin nicht genäschig noch hungrig.
Später werden wir unter die Obstbäume gehn und auf dem
    Rasen schöne rotflammige Äpfel suchen
Oder die runden, saftigen goldgrünen Pflaumen schütteln.
    Ja, willst du?
Weißt du noch: all die Pfauenaugen, so viele, die an den
    abgefallnen, verrotteten Früchten sogen und tau-
    melten?
Und auch ein Trauermantel wehte, finsterer Sammet, gül-
    den umsäumt, blau beperlt . . .
O die Rose! Sie duftet . . . Gestern noch wollte sie Knospe
    bleiben;
Nun schloß Nacht sie auf, daß sie blühe, die scheue,
    errötende, und sie scheint glücklich . . .
Du Geliebter, im Traum der Hummeln und Bienen muß
    solch unberührt schwebender alabasterner Becher
    glühn.
Du fragst mich, ob Bienen und Hummeln träumen?
Sicher träumen sie, wenn sie in jener rahmweißen Schwertel
    schlummern, kindlich von süßer, schaumiger Bienen-
    milch.
Aber Steinhummeln sind die schönsten, summend in war-
    men schwarz und fuchsigen Pelzen . . .
Was blickst du auf einmal seltsam mich an und lächelst?
War ich bleich schimmernd in Mitternächten dir berau-
    schender Kelch?
Dir Milch, dir Wein, goldbrauner Malaga, rubinenes
    Kirschenwasser?
Schweig. Ich lege die atmende Hand auf deine Lippen . . .

Morgenwind. Leise schauernde Halme. Feuchte.
Und ein winziger reglos hockender Frosch, der aus grüner
    Bronze geformt ist.

Und eine Seejungfer, stahlblau mit gläsernen Flügeln,
Sirrt dahin. Mich fröstelt . . .
Weiden wie badende Fraun neigen die Stirnen, fahlblond
rieselndes Haar dem Teich.

Sprich, bedeutet ein Schneckenhorn Gutes dem, der es
aufhebt?
Wenn du zweifelst, schenk ichs der Flut.
Wie sie sich kräuselt, sich bauscht . . . seiden . . . und blinkt
doch Kälte.
Hier auf dem einzig offnen, besonnten Fleckchen im
Röhricht, Lieber, laß noch ein wenig uns sitzen
Und hinüberschaun nach den Fenstern, unseren Fenstern,
die Waldrebe und dumpferer Efeu umkriechen.

Wie mir dies kleine umschattete, weltversunkene Schloß
gefällt!
Auch das Mauergeschnörkel, auch die geschwärzte Ver-
goldung, die bröckelnden Putten, die müden Blu-
mengewinde,
Auch das Moos, das an den zersprungenen griechischen
Vasen hängt.
Auch am Tor die mächtige Linde und ihre Ringeltaube, die
wieder mit dunkelndem Rucksen ruft.
Und das kunstvoll geschmiedete Gitter . . .

Gehst du jetzt . . . soll ich schon folgen? Führ mich; ich
friere . . . ich fürchte . . .
Bis zu den Mummeln, dem gelben Leuchten, möchte ich
schwimmen.
Sieh, der Flausch deiner Brust wuchert algenhaft, und ich
weiß: der Wassermann bist du.
Und ich weiß: unzählige Schätze, Seesilber, Schlämmgold,
häufst du tief in verborgenen Kammern unter dem
Wasser, der Erde.

Wirst du jetzt meine Hände nehmen, mit mir zum Grunde
tauchen, zur Pforte, die ein schwerer, schnauzbärtiger
Wels bewacht?
Soll ich nie Schwester noch Bruder mehr sehn, nicht den
alten Vater mehr, den ich liebe?
Du, ich bebe . . .

Wenn ich empfinge: mein Kind trüge Schwimmhäute
zwischen Fingern und Zehn, trüge Muscheln und
Wasserlinsen seltsam in immer triefenden Haaren.
Kehr ans Ufer . . . Spötter!
Flüsterst du scherzend, ich müßte dir Zwillingsknaben,
Kastor und Polydeukes, gebären, weil ihrer königlichen
Mutter Name mich schmückt?
Glauben denn wir, daß im Schwan ein Göttliches irdischem
Weibe zu nahn vermag? Die liebliche Fabel? —
Ich verstumme . . . ich log . . .
Meine kosenden Hände ducken Gefieder, tasten weicheren
Flaum, und weiße, zitternd gebreitete Fittiche schlagen
über mich hin . . .

Dienen

DER du die Stoffe bindest und löst, kältest und glühst, sie
schwächst und bekräftigst,
Der du Säuren reizt, Erze peinigst, geheime Mischung in
Kapseln birgst, in Röhren und Tiegeln braust,
Wenngleich nicht der Alkahest noch der weiße oder der
rote Löwe ist, was du siedest,
Adept einer Alchimie, die mir fremd und wunderbar dünkt;
Herr du des Feuers, das du in ehernem Käfig bändigst, das
nun kriechend sich duckt wie ein sprungbereit lauerndes
Raubtier,
Einst schnellte, die Stäbe zertrümmerte, wütende Krallen um
deine Glieder schlug (o, mir bangt, wenn ichs denke!):

Ich will eine andere Flamme locken, milde, gezähmte Glut,
    die mir auf dem Herde schmeichelt und schnurrt und
    spielt wie ein häusliches Kätzchen;
Denn bunte Speisen will ich bereiten, ein kleines Mahl, das
    dich freuen soll,
Wenn du müde und doch mit Lächeln in meine dämmern-
    den Räume kehrst.
Was scheltet ihr mich?
Was spottet ihr mein?
Weil meine Welt flach ist, wenig Schritt im Geviert, engum-
    baut,
Voll ruhmlos kleinlicher Dinge, geringfügiger Verrich-
    tungen,
Erfüllt vom Klappern der Näpfe, Brodeln der Töpfe, den
    häßlichen Dünsten schwitzender Fette, überschäumen-
    der Milch?
Weil ich bauchige Mehltonnen hebe, Gewürzbüchschen
    öffne, Muskatnuß reibe,
Kräuter wiege, in gläserne Schale Saft der Zitrone presse,
    goldgelbes Dotter in blauem Becher zerquirle? . . .

Ja,
Wißt ihr denn, was die türkische kupferne Kaffeemühle in
    Sarajewo sah
Und im böhmischen Eger mein Krug, leuchtend weißtup-
    figrot wie Fliegenpilze des Waldes?
Wißt ihr,
Daß für mich große schwarzrauchende Schiffe alle Meere
    befahren, mit Fracht aller Küsten sich schleppen,
Daß, wenn die bleichen Körner durch meine Finger rieseln,
    stille Gesichter der Männer Ranguns mich schaun
Oder das dunklere Antlitz des Negers singt, der in den
    Reisfeldern Südkarolinas erntet?
Daß aus dem hölzernen Teekästchen unsichtbar eine Inderin
    steigt

Im Silberschmuck, in ocker- und terrakottfarb gewebtem
    Wallen und Wehen?
Aus Zwiebelschärfe hallen mir kräftige Stimmen bulga-
    rischer Bauern wider,
Und ich frage zäh quellende Tropfen, ob nicht der Ölbaum
    meiner fremden, verlorenen Heimat sie schuf.

O sonnige Wiese, davon meine schmale, ängstliche Küche
    überfließt,
Mit dem Gürtel aus Natternkopf, Schafgarbe, Mäusegerste,
    Skabiosen,
Mit ruhig weidenden Scheckenkühn, dem rhythmischen
    Schlag ihrer Quastenschwänze,
O bräunlichgoldener Streif, den Mohnrot und Korn-
    blumenblau durchwirkt,
Den Mittagsstille umhaucht und der warme Duft künftigen
    Brotes! —
Da ich Krumen in die erhitzte brutzelnde Butter warf,
Schütterte noch aus geschwärzter Pfanne das Pochen von
    tausend Hämmern in Adern der Erde,
Zischte im Knistern noch immer empört gemartertes Eisen,
Das der Mutter geraubt, vergewaltigt in Öfen, zur Formung
    gezwungen ward.
Da von dampfender Suppe mein Löffel schmeckte, den
    kundige Hand geschnitzt,
Wuchs über niederes Dach wieder ein Lindenast,
Blühend, umtönt von Bienenchören.

Es komme mein Freund und esse.
Sieh, alles Wesen war mir zu Dienst, auf daß ich dem
    Einen diene.
Liebe deckte auch heut wie gestern den Tisch.
Nimm denn mit Liebe an, was die Schüssel trägt:
Möge es deinen Augen gefallen, sein Ruch dir angenehm
    sein, und was zum Munde eingeht, sei dir gesegnet!

CARL ZUCKMAYER

1896–

Der Baum

EIN Baum wuchs auf aus einem Bruch im Sumpf,
Wo es nach Pilz und bittrem Laube roch.
Erst brach ein Trieb aus längst verfaultem Stumpf,
Auf dem die Flechte wie ein grauer Aussatz kroch,

Dann schoß ein wildes Heer von Trieben hoch,
Und war ein Kampf nach Licht und eine Schlacht um Erde.
Wer starb, verfaulte bald, daß seine Leiche noch
Zu Trank und Speise für die andren werde.

Im Boden ward ein dunkles Wurzelregen,
Viel harte Fasern kämpften Schritt für Schritt,
Und Sonne, Wind und Regen kämpften mit,
Und Tag und Nacht ein Sieg, und Mond und Jahr ein Segen.

Saft stieg empor und Feuchte rann hernieder,
Die Stürme ritten auf dem jungen Baum
Und rasten weh um seine kühlen Glieder,
Und laue Luft war geil um seiner Knospen Flaum.

Insekten lebten viel in seinem Innern
Und viel in seiner Krone breiter Trift,
Unter der Rinde kroch wie schweres Sicherinnern
Des Borkenkäfers rätselvolle Schrift.

Und Moos und Mistel blieben ihm verschwistert,
Als um ihn her der letzte Schößling starb.
Was ihm zu Füßen um den Himmel warb,
War längst von seiner Himmelsgier verdüstert.

Wie Mond und Sterne ihn gesegnet haben,
Wie Schnee ihn barg und Frost zerbrach ihn nicht —
Oft war sein Stamm in dickste Nacht vergraben,
Doch seine Krone schwamm in grünem Licht.

O Herbst in Wäldern, seligen Feuers Brunst!
O Todesschrei der Bäume, die im Sturm versinken!
O später Tag im warmen Sterbedunst
Und wilde Nacht und kalter Frühe Blinken!

Als ein Oktober ihn begrub,
Lag er sehr groß im aufgewühlten Sumpf.
Doch als der Tauwind wehte, hub
Er schon zu faulen an und der zermorschte Stumpf

In mildem, phosphornem Verwesungsscheine
Bei Nacht zu leuchten, und der Äste Knauf
Zerfiel wie Mehl von menschlichem Gebeine,
Und junge Bäume wuchsen aus ihm auf.

Cognac im Frühling

ICH bin im braunen Cognac-See ertrunken.
Sechs Monde schwimmt mein Leichnam wie ein Fisch,
Mit weißem Bauch noch unverwest und frisch,
Ein Freund der bittren Angostura-Unken.

Ich ward geländet, bin ins Grab gesunken,
Im Wurzelreich ein trunkner Frühlingsgast,
Mein Hügel grünt im Schatten der Spelunken,
Aus meinem Herzen wächst der Seidelbast.

Du roter Strom Burgunds, aus allen Poren
Sproßt mir der wilde Rebstock ohne Rast,
Das Senfkorn keimt versteckt in meinen Ohren,
Aus meinem Herzen wächst der Seidelbast.

Der Augen Blau ist längst zu Anemonen,
Der Haare Schwarz zu Büffelgras verblaßt,
In meinem Magen mag der Maulwurf wohnen,
Aus meinem Herzen wächst der Seidelbast.

Tief aus der Erde schallt betrunknes Lallen
Der Würmer, die an meinem Leib gepraßt,
All meine Knochen sind zu Staub zerfallen,
Aus meinem Herzen wächst der Seidelbast.

BERTOLT BRECHT
1898–1956

Legende vom toten Soldaten

I

UND als der Krieg im fünften Lenz
Keinen Ausblick auf Frieden bot,
Da zog der Soldat seine Konsequenz
Und starb den Heldentod.

2

Der Krieg war aber noch nicht gar,
Drum tat es dem Kaiser leid,
Daß sein Soldat gestorben war:
Es schien ihm noch vor der Zeit.

3

Der Sommer zog über die Gräber her,
Und der Soldat schlief schon.
Da kam eines Nachts eine militär-
ische Ärztliche Kommission.

4

Es zog die Ärztliche Kommission
Zum Gottesacker hinaus.
Und grub mit geweihtem Spaten den
Gefallnen Soldaten aus.

5

Der Doktor besah den Soldaten genau,
Oder was von ihm noch da war.
Und der Doktor fand, der Soldat war k.v.
Und er drückte sich vor der Gefahr.

6

Und sie nahmen sogleich den Soldaten mit,
Die Nacht war blau und schön.
Man konnte, wenn man keinen Helm aufhatte,
Die Sterne der Heimat sehn.

7

Sie schütteten ihm einen feurigen Schnaps
In den verwesten Leib
Und hängten zwei Schwestern in seinen Arm
Und ein halb entblößtes Weib.

8

Und weil der Soldat nach Verwesung stinkt,
Drum hinkt ein Pfaffe voran,
Der über ihn ein Weihrauchfaß schwingt,
Daß er nicht stinken kann.

9

Voran die Musik mit Tschindrara
Spielt einen flotten Marsch.
Und der Soldat, so wie er's gelernt,
Schmeißt seine Beine vom Arsch.

10

Und brüderlich den Arm um ihn
Zwei Sanitäter gehn.
Sonst flög er noch in den Dreck ihnen hin,
Und das darf nicht geschehn.

11

Sie malten auf sein Leichenhemd
Die Farben Schwarz-Weiß-Rot
Und trugen's vor ihm her; man sah
Vor Farben nicht mehr den Kot.

12

Ein Herr im Frack schritt auch voran
Mit einer gestärkten Brust,
Der war sich als ein deutscher Mann
Seiner Pflicht genau bewußt.

13

So zogen sie mit Tschindrara
Hinab die dunkle Chaussee,
Und der Soldat zog taumelnd mit,
Wie im Sturm die Flocke Schnee.

14

Die Katzen und die Hunde schrein,
Die Ratzen im Feld pfeifen wüst:
Sie wollen nicht französisch sein,
Weil das eine Schande ist.

15

Und wenn sie durch die Dörfer ziehn,
Waren alle Weiber da.
Die Bäume verneigten sich, Vollmond schien,
Und alles schrie hurra.

16

Mit Tschindrara und Wiedersehn!
Und Weib und Hund und Pfaff!
Und mitten drin der tote Soldat
Wie ein besoffner Aff.

17

Und wenn sie durch die Dörfer ziehn,
Kommt's, daß ihn keiner sah,
So viele waren herum um ihn
Mit Tschindra und Hurra.

18

So viele tanzten und johlten um ihn,
Daß ihn keiner sah.
Man konnte ihn einzig von oben noch sehn,
Und da sind nur Sterne da.

19

Die Sterne sind nicht immer da,
Es kommt ein Morgenrot.
Doch der Soldat, so wie er's gelernt,
Zieht in den Heldentod.

Wiegenlieder

I

Als ich dich gebar, schrien deine Brüder
Schon um Suppe, und ich hatte sie nicht.
Als ich dich gebar, hatten wir kein Geld für den Gasmann.
So empfingst du von der Welt wenig Licht.

Als ich dich trug all die Monate,
Sprach ich mit deinem Vater über dich.
Aber wir hatten das Geld nicht für den Doktor,
Das brauchten wir für den Brotaufstrich.

Als ich dich empfing, hatten wir
Fast schon alle Hoffnung auf Brot und Arbeit begraben,
Und nur bei Karl Marx und Lenin stand,
Wie wir Arbeiter eine Zukunft haben.

II

Als ich dich in meinem Leib trug,
War es um uns gar nicht gut bestellt.
Und ich sagte oft: Der, den ich trage,
Kommt in eine schlechte Welt.

Und ich nahm mir vor, zu sorgen,
Daß er sich da etwa auch nicht irrt.
Den ich trage, der muß sorgen helfen,
Daß sie endlich besser wird.

Und ich sah da Kohlenberge
Mit 'nem Zaun drum. Sagt ich: nicht gehärmt!
Den ich trage, der wird dafür sorgen,
Daß ihn diese Kohle wärmt.

Und ich sah das Brot hinter Fenstern,
Und es war den Hungrigen verwehrt.
Den ich trage, sagt ich, der wird sorgen,
Daß ihn dieses Brot da nährt.

Und sie holten seinen Vater
In den Krieg, und ist nicht heimgekehrt.
Den ich trage, sagt ich, der wird sorgen,
Daß ihm das nicht widerfährt.

Als ich dich in meinem Leib trug,
Sprach ich leise oft in mich hinein:
Du, den ich in meinem Leibe trage,
Du mußt unaufhaltsam sein.

III

Ich hab dich ausgetragen,
Und das war schon Kampf genug.
Dich empfangen hieß etwas wagen,
Und kühn war es, daß ich dich trug.

Der Moltke und der Blücher,
Die könnten nicht siegen, mein Kind,
Wo schon ein paar Windeln und Tücher
Riesige Siege sind.

Brot und ein Schluck Milch sind Siege!
Warme Stube: gewonnene Schlacht!
Eh ich dich da groß kriege,
Muß ich kämpfen Tag und Nacht.

Denn für dich ein Stück Brot erringen,
Das heißt Streikposten stehn
Und große Generäle bezwingen
Und gegen Tanks angehn.

Doch hab ich im Kampf dich Kleinen
Erst einmal groß gekriegt,
Dann hab ich gewonnen einen,
Der mit uns kämpft und siegt.

IV

Mein Sohn, was immer auch aus dir werde,
Sie stehn mit Knüppeln bereit schon jetzt,
Denn für dich, mein Sohn, ist auf dieser Erde
Nur der Schuttablagerungsplatz da, und der ist besetzt.

Mein Sohn, laß es dir von deiner Mutter sagen:
Auf dich wartet ein Leben, schlimmer als die Pest.
Aber ich habe dich nicht dazu ausgetragen,
Daß du dir das einmal ruhig gefallen läßt.

Was du nicht hast, das gib nicht verloren.
Was sie dir nicht geben, sieh zu, daß du's kriegst.
Ich, deine Mutter, hab dich nicht geboren,
Daß du einst des Nachts unter Brückenbogen liegst.

Vielleicht bist du nicht aus besonderem Stoffe,
Ich habe nicht Geld für dich noch Gebet,
Und ich baue auf dich allein, wenn ich hoffe,
Daß du nicht an Stempelstellen lungerst und deine Zeit
    vergeht.

Wenn ich nachts schlaflos neben dir liege,
Fühle ich oft nach deiner kleinen Faust.
Sicher, sie planen mit dir jetzt schon Kriege —
Was soll ich nur machen, daß du nicht
    ihren dreckigen Lügen traust?

Deine Mutter, mein Sohn, hat dich nicht betrogen,
Daß du etwas ganz Besonderes seist,
Aber sie hat dich auch nicht mit Kummer aufgezogen,
Daß du einst im Stacheldraht hängst und nach Wasser
    schreist.

Mein Sohn, darum halte dich an deinesgleichen,
Damit ihre Macht wie ein Staub zerstiebt.
Du, mein Sohn, und ich und alle unsresgleichen
Müssen zusammenstehn und müssen erreichen,
Daß es auf dieser Welt nicht mehr zweierlei Menschen gibt.

FRIEDRICH GEORG JÜNGER

1898–

Zwischen Tag und Nacht

O FEURIGER Strahl!
Der singende Schwan
Stürzt ab in den Tod.
Ein blutiges Mal
Erblühet im Rohr.
Dem Winde zum Raub
Ein zärtlicher Flaum.
Des Jägers Fuß
Verhallet im Rohr.
Den Leichnam entführt
Die dunkelnde Flut.

Der Garten

Wäre der Gärtner nicht da, sag an, wo bliebe der Garten?
Wo die Laube, der Pfad? Rosen, wo bliebet ihr dann?
Rasch verlöre die Lilie ihr Recht, Violen und Nelken,
Und von der Mauer schnell wäre der Weinstock verdrängt.
Wer wird das Liebliche hüten? Wer wird die weiße Narzisse
Schützen und wer das Beet, wo der Adonis mir blüht?
Ach, sie stürben dahin mir wie die Schöne des Südens,
Die im rauheren Nord zärtlicher Pflege entbehrt.
Oft bedarf das Edle des Schutzes, und gut ist's, wenn Waffen
Es beschirmen, und gut Krieg gegen rohe Gewalt.
Denn sie blühten von Anbeginn nicht. Was der Gärtner
  gezogen,
Fällt, wenn er fortgeht, sogleich wieder dem Anfang an-
  heim.
Was mich durch Formen ergötzt, was lieb mir durch Farbe
  und Duft ist,

Ist durch des Stärkeren Recht mühsam und künstlich
  gepflanzt.
Drum bekämpft mit Wut mich das Volk, es ruft nach dem
  Lande,
Das der Ahne bewohnt, ficht unermüdlich mich an.
Wolfsmilch dringt durch die Zäune und wuchert saftig im
  Schatten,
Streitet mit zäher Kraft gegen die rodende Hand.
Quecken, euch tilgt kein Gärtner, du trotzt, o Lattich, dem
  Messer,
Hart wie der Bauer lebt Wegerich über den Pfad.
Hahnenfuß wurzelt beständig sich an, und Trespe und
  Windhalm
Schicken, und Melde und Lolch, furchtlos die Vorhut
  herein.
Rüstiges Bettelvolk naht bewehrt und bestachelt den Beeten.
Kommen die Disteln zu Gast, spielen im Haus sie den
  Herrn.
Und die wilden Töchter des Rains, deren Früchte der
  Südwind
Forttrug, Winden durchziehn, Hopfen umschlingt mir den
  Strauch.
Fröhlich drängt sich die Wildnis durch offene Gitter und
  Stäbe,
Führt mit den Blumen Krieg, die ich so zärtlich gepflanzt.
Fliegende Samen nahn und Samen von haftenden Kletten,
Fein wie der Staub durchirrt mancher die gleitende Luft.
Liebste, du bringst mir im Haar des Löwenzahns zierliches
  Schirmchen,
Trägst mit dem schmalen Fuß rötlichen Ampfer herein.
Und sie alle wollen ja wachsen, wollen sich nähren,
Wollen herrschen zuletzt, ob sie als Diebesvolk auch
Heimlich in das reichere Land sich geschlichen, bevor sie
Pochend auf Sitz und Recht kühn es als Eige verlangt.
Doch ich will dich, Gesindel, als Herr nicht, will dich nicht
  nähren,

Kann dich nicht brauchen als Knecht, ob du auch Dienste
    gewährst.
Und so gilt es Vernichtung allein, so herrsche Gewalt denn,
Herrsche das Messer, der Stahl, Aufruhr bekämpf' ich mit
    Macht.
Schweiß entrieselt der Stirn, es schmerzt von der Beugung
    der Rücken,
Und die Nessel verbrennt zornig die greifende Hand.
Doch indem ich dem Wildling Schutz und Heimstatt
    verwehre,
Schwirrt mit summendem Laut hartes Geziefer einher.
Mutiger Zwerge Volk umsurrt mir Blätter und Blüten,
Kiefer, wie Messer geschärft, zehren den grünenden Trieb.
Engerlingsvölker seh' ich benagen die Wurzeln und Knollen,
Augenlos ist das Geschlecht, weißlich und bläßlich die Haut.
Tiefer krochen hinab sie, da verbarg sie die Tiefe,
Scheuend des Taggestirns Licht, ziehen sie wühlend einher.
Nun bedrängt mich der Frost, der Sturm, die Sturzflut des
    Regens,
Hagel schlägt in die Saat, Dürre verzehrt mir den Wuchs.
Immer steh' ich gerüstet bereit, gewappnet im Freien,
Braun von der Sonne Brand, schütz' ich gefährdete Flur.
Und sie dankt es mit reicherem Wachstum, sie knospet und
    grünet,
Schließt dem heiteren Blick duftend und blühend sich auf.

Der Mohn

I

SCHARLACHFARBENER Mohn, ich sehe dich gern auf den
    Gräbern,
Wo du den schlafenden Ruhm alternder Grüfte bewachst.
Leicht entfällt dir das Blatt, es fällt auf den rundlichen
    Hügel,
Den der Edle bewohnt, kränzt den verwitternden Stein.

Und so nahm ich oftmals den Samen der dorrenden Kapsel,
Senkte mit dankbarer Hand still in die Erde ihn ein.
Zartestes Grün entsproß. Verwundet entquoll ihm der
    weiße
Saft, der die Träume uns bringt, Schlaf, der Gespiele des
    Tods.
Bitter duftet der Trank, doch heilsam stillt er die Schmerzen,
Lindert des Fiebers Glut, stechender Wunden Gewalt.
Schläfer, euch weih' ich des Schlafes starke, geheiligte
    Pflanze,
Eure Betten umgrünt Morpheus gefiederter Sproß.

II

Mohnsaft, du stillst uns den Schmerz. Wer lehrt uns das
    Niedre vergessen?
Schärfer als Feuer und Stahl kränkt uns das Niedere doch.
Wirft es zur Herrschaft sich auf, befiehlt es, so fliehen die
    Musen.
Ach, die Lieblichen sind schnell in die Ferne entflohn.
Klio, als sie die Grenzen erreichte, wandte zurück sich,
Abschied nahm sie, sie sprach scheidend ein treffendes
    Wort:
„Toren heilt man mit Schlägen und Spott, bald kehr' ich
    mit Geißeln,
Die ein Richter euch flocht, kehre mit Peitschen zurück.
Oft schon herrschten Tribunen, es floh in die lieblose Fremde
Finster Coriolan, fort ging der edlere Mann.
Prahlend blieb der Schwätzer zurück, umjauchzt von der
    Menge.
Histrionengeschmeiß spreizt sich auf hohem Kothurn."

III

Der beschwatzt den Ruhm, der Taten Vermächtnis, er
    schafft sich,
Da er vom Golde spricht, reichliche Münze im Nu.

Löblich scheint sich der Lobende selbst, er ahmet die
    Stimme,
Die den Löwen verrät, künstlich und täuschend dir nach.
Prächtig malt er mit Erz. Wenn Farbe wäre das Eisen,
Glich er dem Drachen aus Stahl, Feuer verspeiet der Mund.
Jede Rede ist Schlacht. „Auf!" ruft er, „täglich zur Schlacht
    denn,
Bis in dem flutenden Wort alles, was Feind ist, ertränkt!"
Nieder sinken chimärische Heere. So rufet Triumph denn!
Feiert chimärischen Sieg, sprengt mit Kartaunen die Luft.
„Nimmer duld' ich Gelassene. Schweigsame ähneln Verrä-
    tern,
Immer triefe die Stirn, rinne vom Beifall der Schweiß."

IV

Selbstlob flicht die gewaltigsten Kränze. Die ältesten Eichen
Stehen entlaubt schon und kahl, jeglicher Lorbeer ward
    Kranz.
Kärglich wächst er im Norden, drum fehlt den Brühen und
    Suppen
Schon das würzige Blatt, ungern vermiß ich es hier.
Sendet in Haine Italiens hinab den geschäftigen Krämer,
Plündert des Südens Flur, bringt auch Zitronen herauf.
Stattlich geschmückt mit Zitrone und Lorbeer lieb ich den
    Schweinskopf,
Sülzen und Würsten zum Heil schuf uns den Lorbeer der
    Süd.

V

Widrig ist mir der Redner Geschlecht. Kalekutische Hähne
Höre ich kollern am Markt, höre ich scharren am Platz.
Gaukler treiben mit Worten ihr Wesen, Lügner sie deuteln,
Retter, sie retten den Trug, Ärzte, sie scheuen den Tod.
Wollt ihr betrügen das Volk, so schmeichelt ihm schamlos
    und lobt es,
Dient ihm mit Worten zuerst, eh ihr es redend beherrscht.

Hört, es schmeicheln Tribunen dem Volk, es jubeln Betrogne
Laut den Betrügern zu, die sie mit Netzen umgarnt.
Volk, wo sind deine Toten? Sie schweigen. Es hört, wer in
    Schlachten
Redlich sank in den Tod, tönenden Worten nicht zu.
„Soviel Opfer des edlen Blutes umsonst? Vergebens
Fiel der bessere Mann? Wär ich gefallen doch auch."
So vernahm ich des Redlichen Seufzer, doch achtete nie-
    mand
Auf den denkenden Mann, lauter noch lärmten sie fort.
Feste seh ich und Feiern, ich höre Märsche, Gesänge,
Bunt ist von Fahnen die Stadt, immengleich summet der
    Schwarm.
Lauter als der Cherusker, der Romas stolze Legionen
Weihte der Nacht und dem Tod, stimmen den Siegruf sie an.
Habt ihr feindliche Heere geschlagen, die Fürsten gefangen,
Risset ihr Ketten entzwei, die euch der Sieger gestückt?
Nein, sie bejubeln den Sieg, der über Brüder erfochten,
Süßer als Siege sie dünkt, die man in Schlachten erstritt.
Schmerzend hallt in den Ohren der Lärm mir, mich widert
    der Taumel,
Widert das laute Geschrei, das sich Begeisterung nennt.
Wehe! Begeisterung! Silberner Brunnen der Stille, du
    klarer,
Du kristallener Born, nennt es Begeisterung nicht.
Tiefer schweigen die Toten, sie trauern, sie hören das
    Lärmen,
Hören das kindische Lied ruhmloser Trunkenheit nicht.

Eisvögel

Es ist, als ob sie durch
Des Äthers Weiten
Auf unsichtbarem Gleis
Schwach pfeifend gleiten.

Wie Flügelrosse, die
Vor den Geschirren
Der Genien den Azur
Des Tags durchschwirren.

Von ihren Schwingen stäubt
Das Licht der Feen,
Die über blauem Eis
Im Tanz sich drehen.

Darüber Funken von
So hellem Scheine,
Wie sie der Stahl entlockt
Dem Feuersteine. *flint*

Im Ohre höre ich
Ein zartes Klingen,
Den Ton der Gläser, wenn
Sie jäh zerspringen.

Der starre See erbebt,
Und in die Weiten
Zieht sich der Silberlaut
Geschwungner Saiten. *vibrated*

Es ist das Spiel des Frosts,
Das schneidend scharfe.
Das Eis erklingt so hoch
Wie eine Harfe. *1 CHANGE OF METRE / FINAL OBSERVATION*

Lied des Mädchens

EMOTION BELOW TRANQUIL SURFACE. *VERSES OF SONG. SIMPLICITY OF WORDS IF NOT THOUGHT*

ICH sehe hinaus in die Frühe,
Da fällt von den Blättern der Tau.
Es fallen viel helle Tropfen,
Wenn aus dem Fenster ich schau.

Der Morgen scheint mir so lieblich
Und hat ein so helles Licht.
Ich weiß nicht, warum so viel Tropfen
Mir fallen übers Gesicht.

Es kommt vom Wald her die Sonne
Und sieht in den klaren See.
Da birgt sich im Waldesschatten
Das zierliche, schlanke Reh.

So möchte auch ich mich bergen,
Ich weiß nicht in welcher Hut.
Ich will an den Bach hin streifen,
Wenn alles noch schlafend ruht.

Dort, wo die Minze am Bache
In grünen Büscheln steht,
Und wo all das klare Wasser
Über die Kiesel geht,

Dort ist ein so frisches Lager
Im Tau und grünen Genist.
Ich will das Wasser fragen,
Warum es so ruhlos ist.

Abend am See

ICH sah einen goldenen Vogel
Entfliehn über Hügel und Höhn.
Warum ist nur die Sonne
Im Untergehen so schön?

Es kommt ein Schein, der von unten
Die Erde erhellt,
Und der mit seinem bunten
Lichte streift aus der Welt.

230

Er geht über das weite Wasser,
Das Welle um Welle verrollt.
Der Fischer am Ufer fischt sich
Mit Netzen das flüssige Gold.

ALMA HOLGERSEN
1899-

Ballade von den Kinderschuhen

UND die Kinder, diese Kleinen,
Die noch ohne Sünden waren —
Wind wühlt in den Engelshaaren —
Nackt im Schneesturm knien sie, weinen.

Tiefe Gruben; Eisschlamm; Geier.
Dröhnt, ihr Bäume, und führt Klage
Bis ans Ende unsrer Tage!
Rote Brunnen; Nebelschleier.

Auf Regalen Kinderschuhe,
Militärisch angeordnet.
Die sie trugen — hingemordet!
Keines liegt in einer Truhe.

Wieviel Angst ist in dem Leder,
Qual in aufgebognen Spitzen
Dieser Schuhe! In den Ritzen
Blut und Tränen! Ach, ein jeder,

Der das hört, der muß erschauern.
Ist sie nicht aus Satansträumen,
Diese Ordnung in den Räumen?
Vor den stummen Schuhen trauern,

Alle, die sich Brüder nennen!
Niemand weiß der Kleinen Namen!
Niemand weiß, woher sie kamen!
Nur der Herr wird sie erkennen!

Schneeverwehte Holzbaracken.
Und um Mitternacht, da schleichen
Nackte Kindersohlen. Leichen
Ohne Hemd und ohne Laken.

Suchen sie aus vielen Schuhen —
Sanft und weiß — die ihre waren?
Blut und Erde in den Haaren,
Können sie nicht eher ruhen,

Bis wir, Brüder, wenn wir hören
Von den kleinen Judenkindern
Und von ihren kalten Schindern —
Flehen zu den Engelchören,

Daß der Herr uns soll vergeben,
Daß wir nicht mit ihnen starben
Und in Polen stumm verdarben,
Und noch immer weiterleben!

ERICH KÄSTNER

1899–

Monolog des Blinden

ALLE, die vorübergehn,
gehn vorbei.
Sieht mich, weil ich blind bin, keiner stehn?
Und ich steh seit Drei . . .

Jetzt beginnt es noch zu regnen!
Wenn es regnet, ist der Mensch nicht gut.
Wer mir dann begegnet, tut
so, als würde er mir nicht begegnen.

232

Ohne Augen steh ich in der Stadt.
Und sie dröhnt, als stünde ich am Meer.
Abends lauf ich hinter einem Hunde her,
der mich an der Leine hat.

Meine Augen hatten im August
ihren zwölften Sterbetag.
Warum traf der Splitter nicht die Brust
und das Herz, das nicht mehr mag?

Ach, kein Mensch kauft handgemalte
Ansichtskarten, denn ich hab kein Glück.
Einen Groschen, Stück für Stück!
Wo ich selber sieben Pfennig zahlte.

Früher sah ich alles so wie Sie:
Sonne, Blumen, Frau und Stadt.
Und wie meine Mutter ausgesehen hat,
Das vergeß ich nie.

Krieg macht blind. Das sehe ich an mir.
Und es regnet. Und es geht der Wind.
Ist denn keine fremde Mutter hier,
die an ihre eignen Söhne denkt?
Und kein Kind,
dem die Mutter etwas für mich schenkt?

ELISABETH LANGGÄSSER

1899–1950

Vorfrühlingswald

SCHATTEN wie Hunde im grauen Gewaid,
Schwarzdorn, beflockt von der Häsinnen Kleid.
Sterne, wie milchig. Von Starre erlöst.
Leben, wer lebt dich? Wer ist's, der dich west?

Murmelnde Munde. Es steigt und verrinnt.
Surren und Sausen. Die Uralte spinnt.
Windgepeitscht, wirrt sich das Schlafgarn vom Strauch —
Hört sie ihn ächzen? Und hört sie sich auch?

Grundwässer quillen. Geheimes Gefühl
Zittert und zuckt durch der Erde Gestühl.
Yggdrasils Härte, sie harzte und schmolz,
Und eine Gottheit wird hangen am Holz.

ALBRECHT HAUSHOFER
1903–45

Maschinensklaven

RAVENNA, Salzburg, München, Genua,
Westminster, Köln, Antwerpen, Lübeck, Tours —
es waren Städte — doch nicht Städte nur
Wie Krasnojarsk vielleicht und Omaha.

In allem Werk, das formend eine Hand
mit Liebe schuf, ist andres noch gebunden,
als in Maschinenstampf ihr je gefunden!
Maschinensklaven, werft Ihr es in Brand!

Begreift Ihr, was Ihr tut mit Euren Spielen,
atomzertrümmernde Raketenzünder,
totaler Kriege schäumende Verkünder!

Was bleibt am Schluß von allen Euren Zielen?
Ist alles Überlieferte zerstört,
fehlt Euch sogar ein Erbe, der Euch hört!

ALBRECHT HAUSHOFER

Fidelio

Ein Kerker. Einer, der das Böse will.
Ein Todgeweihter. Kämpfend, eine Frau.
Ein heller Klang durchdringt den dunklen Bau,
und einen Atem lang sind alle still.

In allem Zauber von Musik und Bühne
wird keinem Ruf so reiner Widerhall
wie diesem herrischen Trompetenschall:
Dem Guten Sieg, dem Bösen harte Sühne.

Geborgen steigen sie empor ins Licht,
gegrüßt von denen, die gefesselt waren,
geleitet von befreienden Fanfaren.

Im Leben gibt es diese Töne nicht.
Da gibt es nur ein lähmendes Verharren.
Danach ein Henken, ein Im-Sand-Verscharren.

Untergang

Wie hört man leicht von fremden Untergängen,
wie trägt man schwer des eignen Volkes Fall!
Vom fremden ist's ein ferner Widerhall,
im eignen ist's ein lautes Todesdrängen.

Ein Todesdrängen, aus dem Haß geboren,
in Rachetrotz und Übermut gezeugt —
nun wird vertilgt, gebrochen und gebeugt,
und auch das Beste geht im Sturz verloren.

Daß dieses Volk die Siege nicht ertrug —
die Mühlen Gottes haben schnell gemahlen.
Wie furchtbar muß es nun den Rausch bezahlen.

235

Es war so hart, als es die andern schlug,
so taub für seiner Opfer Todesklagen —
Wie mag es nun das Opfer-Sein ertragen ...

PETER HUCHEL

1903–

Herkunft

DASS ich kam im Schattenwind,
weiß davon das Haus?
Birnen duften mürb im Spind
alten Sommer aus.
Wo der Flegel sausend drosch,
fliegt das Korn zuhauf.
Wo am Bett das Öl erlosch,
liegt das Laken auf.

Als ich mit verharztem Haar
in die Kiefern kroch,
klangen laut vom Schwalbenjahr
Dach und Kammer noch.
Nachtgeläut umweht das Haus.
Und durchs kalte Tor
gehn die Freunde still hinaus,
die ich längst verlor.

Und der Kesselflicker auch,
der am Feuer saß,
hämmernd und im Küchenrauch,
den ich lang vergaß,
vor mir hockt er krumm und alt
und zigeunerisch,
kam nachts aus dem Krähenwald,
suchte Herd und Tisch.

Eh die Magd die Vesper bot
und vom Brotlaib schnitt,
ritzte sie das Kreuz ins Brot,
gab den Glauben mit.
Wenn es grün am Himmel tagt,
ob sie feldwärts eilt,
dienend noch, die graue Magd?
Weiß ich, wo sie weilt?

Und der Knecht, der grübelnd sann,
war der Tag kaum hell,
forschend, was die Spinne spann,
lief im Netz sie schnell,
seilte sie die Fäden fest,
zog ein Sturm herauf,
Regen blieb lang im Geäst,
war sie träg im Lauf.

Alle leben noch im Haus:
Freunde, wer ist tot?
Euern Krug trink ich noch aus,
esse euer Brot.
Und durch Frost und Dunkelheit
geht ihr schützend mit.
Wenn es auf die Steine schneit,
hör ich euern Schritt.

Die Hirtenstrophe

WIR gingen nachts gen Bethlehem
und suchten über Feld
den schiefen Stall aus Stroh und Lehm,
von Hunden fern umbellt.

Und drängten auf die morsche Schwell
und sahen an das Kind.
Der Schnee trieb durch die Luke hell
und draußen Eis und Wind.

Ein Ochs nur blies die Krippe warm,
der nah der Mutter stand.
Wie war ihr Kleid, ihr Kopftuch arm,
wie mager ihre Hand.

Ein Esel hielt sein Maul ins Heu,
fraß Dorn und Distel sacht.
Er rupfte weich die Krippenstreu,
o bitterkalte Nacht.

Wir hatten nichts als unsern Stock,
kein Schaf, kein eigen Land,
geflickt und fasrig war der Rock,
nachts keine warme Wand.

Wir standen scheu und stummen Munds:
Die Hirten, Kind, sind hier.
Und beteten und wünschten uns
Gerät und Pflug und Stier.

Und standen lang und schluckten Zorn,
weil uns das Kind nicht sah.
Griff nicht das Kind dem Ochs ans Horn
und lag dem Esel nah?

Es brannte ab der Span aus Kien.
Das Kind schrie und schlief ein.
Wir rührten uns, feldein zu ziehn.
Wie waren wir allein!

Daß diese Welt nun besser wird,
so sprach der Mann der Frau,
für Zimmermann und Knecht und Hirt,
das wisse er genau.

Ungläubig hörten wirs — doch gern.
Viel Jammer trug die Welt.
Es schneite stark. Und ohne Stern
ging es durch Busch und Feld.

Gras, Vogel, Lamm und Netz und Hecht,
Gott gab es uns zu Lehn.
Die Erde aufgeteilt gerecht,
wir hättens gern gesehn.

Dezember

NUN wintert es in Luch und Lanken,
im Graben klirrt das schwarze Eis.
Und Schilf und Binsen an den Planken
stehn unterm Nebel steif und weiß.

Mit Kälte sind bepackt die Schlitten,
die Gäule eisig überglänzt.
Die Gans hängt starr, ins Hirn geschnitten.
Das fahle Rohr liegt flach gesenst.

Das Licht der Tenne ist erloschen.
Schnee drückt der kleinen Kirche Walm,
im Klingelbeutel friert der Groschen
und beizend schwelt der Kerzen Qualm.

Der Wind umheult die Kirchhofsmauer.
Des Todes karges Deputat
ist ein vereister Blätterschauer
der Eichen auf den letzten Pfad.

Hier ruhn, die für das Gut einst mähten,
die sich mit Weib und Kind geplagt,
landlose Schnitter und Kossäten.
Im öden Schatten hockt die Magd.

Die Nacht ist ihre leere Scheune.
Die toten Schafe ziehn zur Schur.
Des Winters Korn behäuft die Zäune,
furcht es die hungerharte Flur.

Der Sturm wohnt breit auf meinem Dache,
wie eine Grille zirpt der Frost.
Und wenn ich alternd nachts erwache,
stäubt Asche kalt vom morschen Rost.

Am Hoftor schwer die Balken knarren,
im Nebel läutet ein Gespann.
Ein Kummet klirrt und Hufe scharren.
Ich weiß, ein grober Knecht spannt an.

Der Wolken Mauer steht dahinter
auf Wald und See und grau wie Stein.
Bald wird das Feuer vieler Winter
in einer Nacht erloschen sein.

Eine Herbstnacht

Wo bist du, damals sinkender Tag?
Septemberhügel, auf dem ich lag
im jähen blätterstürzenden Wind,
doch ganz von der Ruhe der Bäume umschlungen . . .
Kraniche waren noch Huldigungen
der Herbstnacht an das spähende Kind.
O ferne Stunde, dich will ich loben.
Langhalsig flogen die großen Vögel dort oben.
Der Knabe rief ihnen zu ein Wort.
Sie schrieen gell und zogen fort.
In Bäumen und Büschen wehte dein Haar,
urfrühe Mutter, die alles gebar,
Moore und Flüsse, Schluchten und Sterne.
Ich sah dich schwingen

PETER HUCHEL

durchs Sieb der Ferne
den glühenden Staub der Meteore.
Die Erde fühlend mit jeder Pore,
hörte ich Disteln und Steine singen.
Der Hügel schwebte. Und manchmal schoß
den Himmel hinunter ein brennender Pfeil.
Er traf die Nacht. Sie aber schloß
mit schnellem Dunkel die Wunde
und blieb über wehenden Pappeln heil.
Quellen und Feuer rauschten im Grunde.

REINHOLD SCHNEIDER

1903–1958

Was Du ergreifst, zerfließt. Du hast der Erde Fluren,
Eh' Du sie übermächtig hast, zerstört;
Vom dumpfen Wahn der Eigenmacht betört
Suchst Du Dein Bild in allen Kreaturen.

Und findest doch nur des Vernichters Spuren,
Der Deiner Sünde frevlen Wunsch erhört,
Versklavter Fürst der Macht, die sich empört,
Und Tod der Deinen, die Dir Treue schwuren!

Unseliger Geist auf morschem Thron der Macht,
Dem sich die Welt, bevor er kam, bereitet,
Nicht Mensch noch Zeit, den nie ein Name nennt!

Der Finsternis Geheimnis, Ruf der Nacht,
Auf die sich Licht verzehrend niederbreitet,
Tod Deiner selbst, Schuld, die an Schuld verbrennt!

Der Skorpion

TIEF mündete des Traumes Schacht.
Ich sah hinab wie durch ein Rohr:
Feuchtes Gewölb — wußt ich es schon? —
Auf grauem Grund ein Schatten fror,
Quer durch ihn zog der Skorpion.

Und als er meines Blickes Schritt,
Mit mir im gleichen Traum, vernahm:
Im Schattenbalken regungslos
Verweilte er und pflanzte Gram
Auf meines Wesens tiefstem Schoß.

Und sah — das giftige Gewächs,
Wie's langsam seinen Stachel hob,
Mir drohte — aus dem Schattennest,
Das meine Angst ihm selber wob.
Des Traumes Schacht war tief und fest.

Nun weiß ich nicht, ob er mich stach . . .
Doch weiß ich: eine Stimme rief
Von drüben: „Tritt mit dem Verstand
Ins Nichts der Hölle Hieroglyph',
Die aus dem Nichts dein Wahn erfand.

Erprob das Sinnbild mit dem Fuß —
Und sieh: die Hülle aus Chitin
Ist keine Maske; jedes Ding
Ist voll Verstand — doch ohne Sinn,
Kein Abgrund, der dem Lot entging."

O Hohlheit, die uns noch verhöhnt
In Traumesnot! Mein Herz erschrak
Bei solchem Rat und weckte laut
An des Vergessens Sarkophag
Die hellen Bilder, sinnbetaut.

Jäh wußt ich, daß der Sirius selbst
Sein Grün mir gäb als Himmelslohn,
Daß Lilien schmückten sich für mich —
Wenn ich belief den Skorpion
Als wirklich dort im Schattenstrich.

Da schritt ich aus: ich zahl den Zoll
Dem Finstern für der Sterne Schein!
Stich Skorpion, glüh Amethyst,
Dem Ungeteilten mich zu weihn,
Das sich in euch und mir ermißt.

Manchmal im Traum

MANCHMAL im Traum in mancher deutschen Stadt
Vom Schaun berauscht ich geh, vom Wundern matt.
Da — auf der alten Brücke stockt der Fuß,
Die Tiefe donnert wie des Todes Gruß.
Die Brücke bebt, die Knie mir jäh versagen,
Es gilt den Sprung aus tiefem Traum zu wagen.
Und weiß doch: kaum erwacht, ist nichts mehr da,
Was, Deutschland, ich von dir im Traume sah.

Im Dom, mein Gott! in mancher deutschen Stadt
Mein Herz im Traum dich heiß beschworen hat.
Sibyllen blicken streng auf mich herab —
„Ihr habt die Schuld!" ruft's aus der Kaiser Grab.
Das Grauen kriecht heran; mit Krebses Zangen
Hält mich der Traum — gern wacht ich auf! — gefangen.
Doch weiß ich: kaum erwacht, ist nichts mehr da,
Was, Deutschland, ich von dir im Traume sah.

Am Schenkentisch in mancher deutschen Stadt
Trink ich im Traum am Wein mich heiß und satt.
Der Freunde Miene glänzt, es quillt das Wort —
Da — kühl erbleicht das Zinn am braunen Bord.
Und aller Augen um mich starren, brechen,
Erwach ich nicht, muß ich mit Toten zechen.
Und weiß doch: kaum erwacht, ist nichts mehr da,
Was, Deutschland, ich von dir im Traume sah.

Und manchmal — nicht im Traum! — in fremdem Land,
Wohin ich selber mich aus dir verbannt,
Sitz, Deutschland, ich mit deinem Feind zu Tisch,
Ein kläglicher Prophet in seinem Fisch,
Gerettet — und zugleich von Scham verschlungen.
Da denk ich wohl: mich hat ein Traum bezwungen;
Und möcht erwachen von der Wirklichkeit,
Deutschland, zu dir, wie dich mein Traum gefreit.

ERIKA MITTERER
1906–

Gewiß, ich spielte . . .

GEWISS, ich spielte. Doch mit mir. Ich setzte
mein Herz aufs Spiel, als ich die Lose zog.
Und da die Niete mich nicht mehr entsetzte,
muß es dir scheinen, daß ich dich betrog.

Ich wollte lieben. Und du warst mir gut.
Ich kann dein warmes Werben nicht entbehren.
Doch bin ich fremd. Wie fände ich den Mut,
dich meiner Fremdheit plötzlich zu belehren.

Ich halt mich hin, du nimmst und glaubst, du siegst,
du rührst mich an und bist beglückt und biegst
mich ganz dir zu und meinst, dies hätte Dauer.

Doch gegen deinen Wunsch und meinen, wehe,
bin ich dir längst schon wieder fremd und sehe
uns beiden zu in kühl erstaunter Trauer.

Der Garten

WAS unterschied in jener Morgenstunde
uns beide von dem ersten Menschenpaar
vor Sünd' und Sintflut, im entzückten Bunde,
da doch der Garten Eden um uns war,

Uns einließ in sein blühendes Gefilde,
mit dem Jasmingang wölbend uns umschloß . . .
Wir freuten kindlich uns am eignen Bilde,
das in des Beckens klarer Flut zerfloß.

Wir kosteten vom Feigenbaum die vielen
hautprallen Früchte, und wir sogen lang
den Honig aus den süßen Blütenstielen,
und ruhten schweigend auf der Marmorbank,

Im Ohre nur den Sommerton der Immen,
des nahen, unsichtbaren Meeres Prall,
den Fragelaut der hellen Vogelstimmen,
des reifgeglühten Apfels sanften Fall.

Die ersten Menschen ahnten nicht den Engel,
der mit dem Schwert der Zeit das Sein durchzischt;
bei uns war Abschiedssalz dem Honigstengel
und bittere Zukunft allem beigemischt.

245

Klage der deutschen Frauen

1934

WIR lieben dich, Deutschland, doch ward es schwer, dich
　　zu lieben —
wir lieben dich bitter, wie einen mißratenen Sohn.
Wo ist der heldischen Welt Ritter-Gewissen geblieben?
Ach, jeder Drachensaat reift furchtbar geharnischter Lohn!

Selig, die heut keinen Sohn gebären!
Sie können warten, bis das Volk sich besinnt.
Wir wollen aushalten im Schweren,
aber wir wollen kein Kind.

Geliebtes Wiesengrün der sanft geschwungenen Länden,
Rebstock und Ähre, Mais und Flachs einander hold gesellt,
Erde, betreut von harten und ehrfurchtzarten Händen,
dunkelnder Dom und helle Schule, Herz einstmals und
　　Hirn der Welt!

Sie lehren, es sei kein Gott
als der der Macht — und Demut Schmach.
Vaters Glaube ward Sohnes Spott:
die Kinder sprechen's nach.

Berggipfel, Gletscher, Ziel der Einsamkeitvertrauten,
seid *ihr* noch unverändert — glüht das Moos
rot in der Silberritze, und verblauten
die Enziankelche nicht im samtnen Almenschoß?
Keiner hat Zeit, auf Höhen zu steigen,
stramm stehn die Burschen, Gewehr bei Fuß.
Die Phrase tönt nicht im ewigen Schweigen.
Das Echo verweigert den knechtischen Gruß.

246

Und in der Heide, wo noch die alten,
die Steine völkischen Rechtsspruches stehn,
werden sie dort Gericht abhalten
unter der Eichen urweltlichem Wehn?
Wird Antwort geachtet bezichtigten Sünders?
Vertraut man dem Volksruf? Dem Gottesgericht?
Hört man das Urteil erwählten Verkünders?
Und ist Gerechtigkeit heiligste Pflicht?

Willkür, ihr ward kein Maß
jemals gesetzt!
Wer das zu lang vergaß,
der seh es jetzt!
Den, dessen Wort man scheut,
Freund noch vor Nacht,
hat eine Kugel heut
schweigsam gemacht.

Du Land, von Tann und Föhre mit würzgem Hauch
       getränkt,
das sich den Strömen burgbewehrt und rebenstrotzend
       schenkt,
vom Meer geküßt im Norden, vom Firn gekrönt im Süd —
bist wirklich, großes Mutterland, der vielen Kinder müd?

Liebst nur mehr *ein* Gesicht,
nur *eine* Tracht?
Und was die Regel bricht,
tust du in Acht?
Dem Führer alles Recht
und uns die Fron . . .
Ein niedriges Geschlecht
fühlt nicht den Hohn.

Wir können nicht hassen, wir Frauen, wir können nur
    warten und trauern,
und knüpfen in stummer Geduld ein immer zerreißendes
    Netz.
Noch gibt es Knaben im Reich, noch gibt es Priester und
    Bauern:
daß ihnen endlich entwüchse wahrhaftes deutsches Gesetz!

Wir tragen das Joch und fester
bohrt sich in Erde der Fuß,
doch der gesegneten Schwester
gönnen wir neidlosen Gruß.
Brennender Blick in die Runde
kündet die dunkelste Stunde.
Preist das erbärmliche Los:
unfruchtbar darbenden Schoß!

GÜNTER EICH

1907–

Gedicht im März oder Oktober

ENDLOSER Regen und Erinnern
an flache Landschaft oder Tal und Meer,
Und dies, was spricht und spricht im Innern,
bist du es, irgendein Du oder wer?

Es rührt sich die Luft von einem schwachen Gesange
über und unter mir.
Stimmen, Umarmung, Berühren der Wange.
Wo warst du, überall oder hier?

Geweckt von dem ewigen Rinnen
setzen Tote sich zu mir, müde und blind,
nicht wissend, ob sie ein Leben beginnen
oder Phantome sind.

Unterm Wehen des Nebelrauches
trinken sie meinen Wein,
erkennen sich wieder im Gang meines Atemhauches,
und ihre Stimmen sind mein.

Nichts anderes mehr kann ich reden,
als was ihr Mund vorher sprach.
Ich gehe ein in jeden
und spreche mir selber nach.

Herbst und endloser Regen
voll Salz, der uns vereint.
Ich neig mich der wartenden Schar entgegen,
die mich begräbt und beweint.

Reise

Du kannst dich abwenden
vor der Klapper des Aussätzigen,
Fenster und Ohren verschließen
und warten, bis er vorbei ist.

Doch wenn du sie einmal gehört hast,
hörst du sie immer,
und weil er nicht weggeht,
mußt du gehen.

Packe ein Bündel zusammen, das nicht zu schwer ist,
denn niemand hilft tragen.
Mach dich verstohlen davon und laß die Tür offen,
du kommst nicht wieder.

Geh weit genug, ihm zu entgehen,
fahre zu Schiff oder suche die Wildnis auf:
Die Klapper des Aussätzigen verstummt nicht.

Du nimmst sie mit, wenn er zurückbleibt.
Horch, wie das Trommelfell klopft
vom eigenen Herzschlag!

ALBRECHT GOES

1908–

Von den Einsamen in dieser Zeit

Das geht mit zu Bett und das steht mit mir auf
Und das währt wie ein Wort im Gericht:
Gestalt und Gebärde und Blick der Fraun
Und immer die Stimme, die spricht:
Wo ist, der mich zu befreien erscheint
Vom unfruchtbaren Bann,
Vor Zeiten und Zeit für mich bestimmt,
Mein Mensch, mein Eigen, mein Mann?
Wo ist —? spricht der Mund. Sie waren doch da,
Kinder und Knaben sogleich,
Lebendiger Leib und lebendiger Geist,
Tänze- und liederreich.
Sind alle so still jetzt, so still. Es grub
Sie der Gräbergewaltige ein
Im östlichen Feld und am westlichen Meer,
Unter Schnee und in Urwälderein.
Und die er vergessen und die er verschont,
Der Tod im feindlichen Land,
Die hat man erschlagen, ertränkt im Moor,
Vergiftet und verbrannt.
Und waren doch unser: Freude und Ruhm
Und Zukunft — und sehnten sich so.
Was blieb uns nun? Krume und Totenwind,
Antwortloses Wo.

Und es spricht eine Stimme — von weither kommt
Ihr Klang und wie übers Meer —
Noch immer weint Rahel und immer noch sind
Die Tränenkrüge schwer.
Du aber — nicht blicke mir stumpf und grau,
Die Hände im schlafenden Schoß.
Sieh auf und begreif: die Stunde schlägt,
Und die Nacht der Welt ist groß.
Rufe sind, Mädchen, begreif — und Frau,
Die du Vergangnes beschwörst,
Die Schmerzversteinerten hören sie nicht,
Keiner hört sie, wenn du sie nicht hörst:
,Schwester' ruft einer, und nocheinmal:
,Schwester' und ,hilf' und ,geschwind'.
Und ein Schiff legt an, des einzige Fracht
Die Mutterlosen sind.
Und einer ist, und das Herz ist ihm bang
Von unvergebener Schuld,
Und er fragt: ist irgendwo auf der Welt
Noch ein hörend Ohr der Geduld?
Und einer — nicht einer, unzählige sind —
Die im Herzleid Verstummten, du weißt —:
Wer klagt ihre Klage, wenn du ihnen nicht
Die eigene Stimme leihst?
Zuletzt denn einer: ein alter Mann,
Dem vor den Schatten graut,
Und der in dein rein bewahrtes Gesicht,
Ins endlich gefundene, schaut.

Spricht wieder die Stimme: und wie, wenn nun doch
Keiner das Meine erkennt?
Antwort: die Kerze am Rande der Nacht
Nährt ihre Flamme und brennt.
Fragt nicht: wer sieht mich? Und fragt nicht: wofür
Schwindet mein Leben dahin?
Gedenke der Kerze! Vergessen ist nichts

Im Buch vom ewigen Sinn.
Ja, er selber, der Geist, der von Anbeginn her
Schwebt ob der Tiefe des Lands,
Der in Abend und Morgen sein Werde spricht,
Umleuchtet vom Cherubimglanz,
Der Menschenantlitz schuf und schafft
Nach seinem Antlitz groß,
Der hat dich gerufen, wie Liebe ruft,
Dich und dein eignes Los.
O Weg im Gewölk, und tiefer noch
Gestern und heute verhüllt.
Aber zuletzt denn, begreif! zuletzt
Enträtselt und erfüllt.
Und der Tag — sei getrost — es zeichnet der Tag,
Der als ärmster Tag dir erscheint,
Vielleicht eine Falte, ach nur einen Zug
An dem Bilde, wie Gott es gemeint.

RUDOLF HAGELSTANGE

1912–

Begegnung

Ich kniee hin am Brunnenrand
der lauen, blauen Nacht,
zu schöpfen mit der hohlen Hand,
was mich vergessen macht.

Hin durch des Schweigens sanfte Flut
zieht halbes, falbes Licht.
Und wie der Mond im Schatten ruht,
erscheint mir ein Gesicht:

Ein Auge, das nicht Auge ist,
der Wange bange Flucht,
die Schläfe, die sich selbst vergißt,
des Mundes stumme Schlucht.

Dies alles, nein, gehört nicht mir.
Es treibt und bleibt doch nah.
Es sinkt und steigt, ist dort und hier
und heißt Ophelia.

Nicht anders als des Mondes Bahn
durch Sphären eisiger Glut
treibt sie dahin, ein Wahn im Wahn,
das Haar schleppt in der Flut.

Sie trägt mit sich das stumme Lied,
den ungeträumten Traum
und birgt in einem Fingerglied
das Maß zum Weltenraum.

Versiegelt schläft des Denkens Lust.
Der Schwermut dunkles Gold
liegt in dem Tal der jungen Brust
wie Schlangenschlaf gerollt.

Doch über alles hat die Flut
ihr Scheidetuch gesenkt
und schon entführt — wie fremdes Gut,
was sie geschenkt . . .

Memento

An den Wassern Babylons
haben wir nicht gesessen.
Aber keines Klagetons
Schwingung sei uns vergessen.

253

Vor den Mauern Jerichos
haben wir nicht geblasen.
Aber der stürzenden Mauern Stoß
schreckt uns noch unterm Rasen.

In den Tempeln Jerusalems
haben wir nicht gebetet.
Doch mit dem Blute Seths und Sems
ist unser tägliches Brot geknetet.

HANS EGON HOLTHUSEN
1913–

Klage um den Bruder

Es war mein Blut, das sich aus dir ergossen.
Nun ist mir alles fremd. Nun gehst du tot
In dieses Dasein ein. So sei mein Brot
Hinfort nicht ohne deinen Tod genossen.

Mein Herz fühlt aus den Angeln sich gehoben
Und sieht die Dinge schwindlig und verändert.
Die Blumen sind mit Todeslicht gerändert,
Und alle Horizonte sind verschoben.

O furchtbar, einen Bruder zu besitzen
Und einmal nur — dies Kreuz ward uns gesetzt —
Berühren dürfen mit den Fingerspitzen!

Ein kleiner Ruck der Zeit hat dich getroffen,
Ein bloßer Lidschlag zwischen jetzt und jetzt,
Und meine Arme bleiben ewig offen.

.   .   .   .   .   .

254

Zu denken, daß in deiner Todesstunde
Die Erde dir so greifbar war wie je:
Der Abend stand bevor, ein Ritt am See
Und eine Flöte voll Musik am Munde.

Ein Strauß Marien wäre zu vermuten,
Der sich mit einer Mädchenhand verkette —
Wenn nicht der Treffer aus dem Absoluten
Dich ganz verwandelt und verwirklicht hätte.

Inständiger als alle Möglichkeiten,
In denen wir vergänglich uns verbreiten,
Zwang dich der Tod, auf Dinge zu verzichten,

An denen viel, an denen gar nichts liegt.
Wir spielen hier mit fraglichen Gewichten,
Die doch dein Tod gewaltig überwiegt.

. . . . . .

Nun, Bruder, laß mich Abschied von dir nehmen.
Ich kehre um für eine kurze Frist.
Du gehst nicht, wandelst dich nicht mehr. Du bist.
Mich aber soll der Todesbann nicht lähmen.

Ich bin beweglich. Meiner Füße Trieb
Will auf den Weg zu neuen Erdentagen.
Ich muß dem unvermischten Schmerz entsagen,
Der mich entseelen würde. Ach vergib!

Ich will dich überleben. Ich verfechte
Vor deinem Tod den leichten Widerstand
Lebendigen Gefühls. Nicht daß ich dächte,

Ich hätte irgend etwas in der Hand.
Nur als ein Atmen geht es durch mich hin,
Ich weiß nicht, wer ich bin, und doch: ich bin.

Tabula rasa

EIN Ende machen. Einen Anfang setzen,
Den unerhörten, der uns schreckt und schwächt.
Noch einmal will das menschliche Geschlecht
Mit Blut und Tränen diese Erde netzen.

Wir sind nicht mehr wir selbst. Wir sind in Scharen.
Wir sind der Bergsturz, der Vulkan, die Macht.
Der ungetüme Wille der Cäsaren
Wirft uns in großen Haufen in die Schlacht.

Was für ein Dämon, der uns ohn' Erbarmen
Ergreift und wringt und schleudert hin und her!
Wir häufen Tote, ratlos, wir verarmen
Von Jahr zu Jahr. O rasender Verzehr!

Wir brechen alle Brücken ab, zerstören
Sehr rasch und unbeirrbar, was uns frommt.
Aus allen Dächern Feuer! Wir beschwören
Die Zukunft, die mit der Verzweiflung kommt.

Wir reden ungereimtes Zeug. Wir haften
Nicht mehr am Wahren. Wunderlich vergällt
Ist uns der Schmerz. Noch unsre Leidenschaften
Sind Griffe in die Luft, die nichts enthält.

Und doch, wir leiden. Sprachlos. Aber wer,
Wer schweigt aus uns, und was wird uns verschwiegen?
Wer zählt die Trümmer unsrer Welt — und mehr:
Die Dunkelheiten, die dazwischen liegen?

Wer ist es, raunend in Verborgenheit,
Und wohnt in eines Menschenherzens Enge
Und keltert *einen* Tropfen Ewigkeit
Im dunklen Wirbel unsrer Untergänge?

256

Ende September

An Apfelbäumen lehnen weiße Leitern,
Die man im Abendnebel stehen ließ.
Nun will die Welt sich himmelhoch erheitern:
Mein Honighimmel, blau und goldnes Vließ!

Mit einer Schleppe brombeerdunkler Erinnerungen
Tritt ein verklärter Morgen in mich ein.
Der Sommer ist vergoren und verrungen
In Apfelduft, Nußbeize, Most und Wein.

Zeit für ein Mädchen, Platz für Kommen und Bleiben.
Wie brennt der Boden, wo kein Mädchen ist!
Zusammensein und Zueinandertreiben
Schräg übern Weg mit Lächeln und Gelüst.

Blutbuchenlaub, lachsfarbner, zarter Schein.
Wir wollen Blick zu Blick und Mund zu Munde,
Und alles Sein will bei dem andern sein
Und richtet am Geliebten sich zugrunde.

Ein paradiesisch holdes Ungefähr
Hält uns mit Lust und Traurigkeit umfangen.
Vollkommner Sommer, doch kein Sommer mehr
Und schon im Unsichtbaren aufgegangen.

Abwesenheit

Die Wetterstationen melden den gleichen
Himmel für deinen und meinen Ort.
Sind Hier und Dort bloß Name und Zeichen?
O Welt, zerfallen in Hier und Dort!

Ein Ort, wohin mich Zeit verschlug,
Ein Ort für dich zu Wohnung und Pflicht.
Aber Liebe hat nimmer und nimmer genug,
Nur den leeren Raum und das grimmige Nicht.

Hat nichts zu essen und zu umfangen,
Ach, Glück und Zeit und Raum sind knapp.
Die Straßen, die nach dir gehn und langen,
Reißen nach zehn Kilometern ab.

Wie warst du selig, du siebenmal Schöne,
Selig wie Tote und nicht wie die Welt.
Meine Seele war wie ein Pfeil auf der Sehne
Und weit übern Tod hinausgeschnellt.

Fort brennt mein Durst. Wer wird ihn stillen,
Außer dein Widerdurst machte ihn wett!
O wie dürstet durch meinen Willen
Alles Geschöpf nach Schoß und Bett!

Das schrecklich Süße, das dem Esser
Die Wirbelsäule fließen macht,
Nun ist es verkehrt in Rost und Messer,
Auf dem wir liegen in der Nacht.

Aus Nicht und Nacht noch Honig saugen,
Die leiseste Lust, den letzten Rapport.
Mein Leib liegt wach, mit offenen Augen
Und leeren Händen am leeren Ort.

KARL KROLOW

1915–

Im Leben

ICH weiß, dies Hemd und grobe Tuch
Sind mir nur ausgeliehn,
Und was ich je am Leibe trug. —
Ich nehm es dankbar hin.

Die Tulpe, die im Garten weht
Und prahlt mit rotem Fleisch,
Ist mir geschenkt. — Was wohlgerät,
Was aufschreckt mit Gekreisch:

Fasan und böser Schrei vom Pfau,
Ich kann nichts dazu tun.
Ich ahn das stille Bild der Frau
Und muß alleine ruhn.

Ich eß vom Fleische, brech vom Brot,
Misch goldnen Wein im Krug. —
So mischen Leben sich und Tod!
Ist das nicht Trost genug?

Im Spiegel ist zum andern Mal
Das Zimmer anzusehn,
Die Vase, rund, der Leuchter schmal.
Wie soll ich sie verstehn?

Des Nachts fahr ich mit fremder Hand
Mir zögernd durchs Gesicht.
Und hab ich mich im Licht erkannt,
Im Dunkel bin ichs nicht.

Ich finde Mond und Stern bei Stern
Und suche nach dem Sinn
Und spüre nur noch ganz von fern,
Daß ich im Leben bin.

Irdische Fülle

SCHÖNE Erde! Wer sie wüßte!
Wer die süße Weise fände!
Regt sich nicht die Manneslende,
Wuchsen aus dem Hemd nicht Brüste?

Voller Mond zieht blanke Fische
Nächtlich sich aus ihrem Teiche.
Aus dem Dunste tritt die Eiche,
Und der Krug glänzt auf dem Tische.

Auf die Nesseln fällt der Regen,
Und das Mohnfeld steht entblättert.
Laub, das an der Mauer klettert,
Will ein leiser Wind bewegen.

Raschelte mir nicht im Arme
Wiese und verbrannte Blume?
Blüht der Phlox nicht Gott zum Ruhme?
Lebt im Garten nicht das warme

Lied der Ammer, früh geflötet?
Heuschreck schwebt durch grüne Nässe.
Unken üben ihre Bässe,
Und die Pfirsichwange rötet.

Mittagshügel, weich geschwungen,
Wird von Wolken fortgetragen.
Flammen aus dem Grase schlagen.
Und das Schweigen ist gelungen,

Das der runde Tierblick kündet.
Ruch von Sand und Thymiane *thyme*
Steigt als unsichtbare Fahne,
Treibt mit zartem Licht verbündet.

Erdenhaus, vom Nichts umlauert!
Und ich bin auf sel'ger Reise!
Daß es mir als Wesen dauert,
Wird es Traum und Geist zur Speise.

Verlassene Küste SYMBOLISTIC? FIRST OF TWO.

„Wenn man es recht besieht, so ist überall Schiffbruch."
(PETRONIUS)

SEGELSCHIFFE und Gelächter,
Das wie Gold im Barte steht, *für (of first) SUITABLE SEE IMAGE*
Sind vergangen wie ein schlechter
Atem, der vom Munde weht,

Wie ein Schatten auf der Mauer,
Der den Kalk zu Staub zerfrißt.
Unauflöslich bleibt die Trauer,
Die aus schwarzem Honig ist,

Duftend in das Licht gehangen,
Feucht wie frischer Vogelkot *IMAGE*
Und den heißen Ziegelwangen
Auferlegt als leichter Tod.

Kartenschlagende Matrosen
Sind in ihrem Fleisch allein.
Tabak rieselt durch die losen
Augenlider in sie ein. *IMAGE EXPRESSIONISTIC?*

Ihre Messer, die sie warfen
Nach dem blauen Vorhang Nacht,
Wurden schartig in dem scharfen *jagged*
Wind der Ewigkeit, der wacht.

KARL KROLOW

Drei Orangen, zwei Zitronen

DREI Orangen, zwei Zitronen: —
Bald nicht mehr verborg'ne Gleichung,
Formeln, die die Luft bewohnen,
Algebra der reifen Früchte!

Licht umschwirrt im wespengelben
Mittag lautlos alle Wesen.
Trock'ne Blumen ruhn im selben
Augenblick auf trock'nem Wind.

Drei Orangen, zwei Zitronen.
Und die Stille kommt mit Flügeln.
Grün schwebt sie durch Ulmenkronen,
Sel'ges Schiff, matrosenheiter.

Und der Himmel ist ein blaues
Auge, das sich nicht mehr schließt
Über Herzen: ein genaues
Wunder, schwankend unter Blättern.

Drei Orangen, zwei Zitronen: —
Mathematisches Entzücken,
Mittagsschrift aus leichten Zonen!
Zunge schweigt bei Zunge. Doch
Alter Sinn gurrt wie ein Tauber.

CHRISTINE LAVANT

1915–

ABENDS zähl ich Lamm um Lamm,
lehnend an dem Feigenstamm,
gebe jedem seinen Namen,
streu mein Herz als wilden Samen

262

in den Wüstenwind.
Ruf die Sichel frühen Mondes,
daß sie mir ein weiches blondes
Gräslein mähe für mein Kind.
Eine schlanke Ringelnatter
bitte ich mir zum Gevatter
und sie hängt ihr zieres Krönlein
freundlich für mein Wundersöhnlein
auf im Feigenbaum.
Aber dann die Morgenröte
weckt mit ihrer Sorgenflöte
jäh mich aus dem Traum.
Hab kein Kindlein, keine Tiere,
und der Stamm, an dem ich friere,
trägt nicht eine Frucht.
Lauernd und verrucht
kühlt die kronenlose Schlange
meine warmgeträumte Wange.

ALTER Schlaf, wo hast du deine Söhne?
Junge, starke Söhne sollst du haben,
solche Kerle, die noch mehr vermögen
als bloß kommen und die Lampe löschen.

Einer soll zu meiner Angst sich legen,
einer sich auf meine Sehnsucht knieen,
feste Fäuste müssen beide haben,
daß die Nachbarn keine Schreie hören.

Was willst du in meine Augen streuen?
Sand? — Ich lache! — eine ganze Wüste
kann ich dir für solche Augen schenken,
die damit sich schon zufrieden geben.

263

Meine, weißt du, sind zwei Feuersäulen,
einmal wird der Himmel davon brennen!
Aber vorher möcht ich endlich schlafen.
Alter, Alter, hast du keine Söhne?

ANGST, was habe ich mit dir zu tun?
Geh jetzt rücklings in die Mauer ein!
Zwar, mein Herzschlag flattert wie ein Huhn,
doch ich werde seiner mächtig sein
mittels eines Zeichens, dem ich glaube.
Vater, Sohn und die gelobte Taube
stehn mir bei und zwingen dich zu weichen.
Dreimal zeichne ich das starke Zeichen
über Stirne, Mund und übers Herz.
Angst entweiche oder werde Schmerz
und belebe alle meine Poren.
Sieh, das Licht der Kerzen hat geschworen,
dein Verwandlen oder dein Entweichen
zu durchleuchten, Wachs und Dochte reichen
höchstens noch für neunmal Atemholen . . .
Angst, benimm dich, wie ich dir befohlen:
Werde Leben oder werde Stein!
Dreimal atme ich noch aus und ein.

Es ist so weit bis zum Herzen Gottes —
Rapunzel, mein Stern, laß dein Haar herunter!
In meiner linken lebendigen Seite
weckt eine Spieluhr die Hoffnung auf,
und Hunde weinen im Dorfe.

So vieles würde mit mir erhöht —
Rapunzel, mein Stern, laß dein Haar herunter!
Es soll dir keines zugrunde gehn,
es würde dir jedes am Haupte geseilt,
denn ich trachte an deiner Höhe vorbei
mit der Nachfrucht der Freude.

Die Spieluhr spielt nur noch diese Nacht —
Rapunzel, mein Stern, laß dein Haar herunter!
Und hebe mich über den Ölbaum hinauf,
damit ich oben sein Fleisch verbrenne
im Herzen Gottes, für dich und für mich
und für die Rückkehr zur Erde.

Wir wollen morgen ins Leiden gehn —
Rapunzel, mein Stern, laß dein Haar herunter!
Ein Opfer heute in letzter Nacht!
Während im Dorfe die Hunde weinen,
verbrennen wir Ölbaum und weißes Lamm
für die ewige Nachfrucht des Elends.

WALTER HÖLLERER

1922–

Sizilischer Brunnen

DIE Mandelbäume sind
In ihrer Blüte weiß,
Andere im rosa Hemde
Wie Mädchen in der Nacht.
Von Afrika der Wind
Ist sandgelb, heiß.
Da sitzen wir wie fremde
Vögel am Brunnenschacht.

Die Kette rasselt schwer.
Der Eimer kollert tief.
Aus alter Ferne schallts.
Das Wort, die Weisung, wer
Entchifferts, was da rief?
Das süße Wasser schmeckt nach Salz.

WOLFGANG BÄCHLER

1925–

Wir sind die Söhne gnadenloser Zeit

WIR sind die Söhne gnadenloser Zeit.
Wir waren schon als Kind des Tods Gespielen.
Die Zauberwelt der Märchen war so weit,
der kalte Strom des Grauens war so breit,
auf dem gelenkt von unsrer Träume Hand
die schmalen Boote unsrer Sehnsucht trieben,
daß sie nur selten mit verirrten Kielen
hinüberfanden an den fremden Strand
und sich vergruben in den weichen Sand
des Spiels; bis uns erneut mit wilden Hieben
der Wind des Hasses in die Wogen stieß
und uns den blinden Strudeln überließ.

Wir sind die Söhne gnadenloser Zeit.
Wir spielten nicht mehr mit den Ackerkrumen.
Sie mischten sich in unser graues Kleid.
Sie mischten sich in unser frühes Leid.
Die Waffe wurde unser Wanderstab,
mit dem wir in die fernen Länder zogen.
Wir legten stumm die ersten Frühlingsblumen,
die einst die Knabenhand dem Mädchen gab,
mit klammen Fingern auf der Freunde Grab.
Die Blüten, die sich uns entgegenbogen,
verbargen nicht geheime Liebeslust.
Sie deckten nur die Angst in unsrer Brust.

Wir sind die Söhne gnadenloser Zeit.
Noch sind uns Not, Gefahr und Haß Gespielen.
Die Welt der Schönheit ist noch immer weit.
Der Strom des Elends ist noch immer breit.

Noch mengt der Wind die Asche und den Sand
zerfallner Wohnstatt in den Staub der Blüten.
Nur auf dem Meer, in das die Sterne fielen,
die einst wir in den Himmel eingebrannt,
irrt noch ein Boot und sucht das blaue Land
des Traums. Die Sehnsucht hält mit ihren müden
verkrampften Händen noch den Ruderschaft.
Der Sturm liegt still. Das Segel ist erschlafft.

HEINZ PIONTEK

1925–

Côte d'Azur 1943

HÄNGE und Haine geschmolzen
im grellen, im siedenden Blau,
die Uferstraßen verenden
vor Mine und Drahtverhau.

Gärten, Bunker, Zisternen —
flimmernde Wiederkehr,
verloren greifen die Arme
der Molen ins Mittelmeer.

Beim Wunder der Eremitagen,
ach, vergiß deinen Groll.
Zaubrisch tönen im Ohr dir
die Glocken von Vence und La Colle.

Geschieden mit kärglicher Habe:
Fragmente im Tagebuch,
die Bilder von lässigen Frauen
und etwas Orangengeruch.

Das Fenster

WENN der Rahmen erzittert
und die Scheibe klirrt —:
ist es ein Wind überm Dache,
ist es der pfeifende, flache
Donner, im Feld verirrt?

Oder ein Ackerwagen?
Staub wächst auf dem Glas.
Verrostet sind Riegel und Haken,
die Sommertage staken
glühend durchs Bodengelaß.

Kittbrösel auf dem Simse.
Vieles bleibt ungewiß.
Was ich am Fenster ersinne,
webt die emsige Spinne
in den Gardinenriß.

Winterliches Herz

MEINE Schritte pauken auf dem Eisfell des Sees,
dünn weht die Luft durch die Melancholie
des sprödhalmigen Schilfs.
Der Tag endet in verwehter Klage,
bald hat die Rotte der Krähen mich erspäht.

Still ruht unter der grünen Vereisung der Tod.
Schnee flockt —
ich bedarf seiner nicht.

Die Vorstadt. Vor der glühenden Schmiede
wandern Bärte, Fellmützen.
Ein Rappe wiehert und schlägt Funken
aus dem frostzernagten Pflaster —,
Echo am Transformatorenhaus.

Abends tönt des Himmels schneidendes Erz sanfter.
Gut ist es dann,
einzugehen in den Frieden des Winters,
arm und ohne Trotz.

Morgens

BEGINNEN — Wort, beim Sprechen schon
zur Hälfte ohne Sinn.
Die Träume dieser Nacht verlohn,
reib ich das Stoppelkinn.

Das Brot schmeckt säuerlich und schwer,
Konservenmilch vertropft,
der Nachbar singt — ich weiß nicht, wer
an meine Türe klopft.

Ich rück den Stuhl und rechne mir
die neuen Stunden vor.
Der Tag hebt zittrig sein Visier
und seufzt im Wasserrohr.

ASTRID CLAES

1928–

The Raven

EIN Vogel ist,
den ich vor langen Jahren
bei jenem grauen Turm
in London sah.
Er habe, sagten sie,
zuviel erfahren.

Nun saß er schwarz
und ohne Anteil da.
Doch heißt es,
daß er stumm bei Tag und Nacht
den alten Königsschatz im Turm
bewacht.

Es ist ein Traum,
den ich heut' nacht erfahren:
Nach allem Leid
lag ich verloren da.
Verloren, sagten sie,
so jung an Jahren:
Weil ich den schwarzen Vogel
wiedersah.
Nun weiß ich,
welchen Schatz er stumm bewacht —:
Ich sah den Turm von innen
in der Nacht.

Der Delphin

LASST die Bitten, Freunde, laßt die Fragen,
denn was soll es, daß ihr mich erwählt?
Ihr wißt nur von meinen leichten Tagen,
doch die dunkeln habt ihr nicht gezählt.

Ich will weiter auf den Flüssen fahren,
es ist nutzlos, daß ihr mich so quält —:
Denn ich habe mich vor vielen Jahren
einem mächtigen Delphin vermählt.

Niemals seh' ich ihn, denn er muß schlafen
irgendwo im Tiefen, wo er lebt.
Manchmal singe ich in einem Hafen,
weil ich weiß, daß er das Haupt dann hebt.

Weil ich weiß, er lauscht dann mit den weiten,
übermüden Augen in den Wind . . .
Keiner soll mich je zur Nacht geleiten,
bis wir beide einst beisammen sind.

BEFORE IT WAS "ICH" MANY TIMES

NOTES

Page 13. *Helle Nacht.* Based on a poem by Paul Verlaine:

La Lune blanche

La lune blanche
luit dans les bois;
de chaque branche
part une voix
sous la ramée . . .

O bien-aimée.

L'étang reflète,
profond miroir,
la silhouette
du saule noir
où le vent pleure . . .

Rêvons: c'est l'heure.

Un vaste et tendre
apaisement
semble descendre
du firmament
que l'astre irise . . .

C'est l'heure exquise.

16 and 17. From *Phantasus.*

21. *Schlaflied für Mirjam.* Hermann Bahr said of this poem that it was the finest German lyric since Goethe's „ Über allen Gipfeln".

24–26. „Mein garten . . ." to *Vogelschau.* From *Algabal.*

26. „Lilie der auen!" From *Das Buch der Sagen und Sänge.*

27–29. „Wir schreiten . . ." to „Nicht ist weise . . .". From *Das Jahr der Seele.*

29. „Ich bin freund . . .". From *Vorspiel (Der Teppich des Lebens).*

30. *Die fremde.* From *Der Teppich des Lebens.*

30. *Leo XIII.* From *Der siebente Ring.* The point printed above the line in George's poems is more or less equivalent to a comma, denoting a shorter pause than the full stop.

74. *Volksweise.* From *Larenopfer.*

75–76. „Ich war ein Kind . . .“ to „Kann mir einer sagen . . .“. From *Frühe Gedichte.*

76–77. *Aus einer Kindheit* to *Schlußstück.* From *Das Buch der Bilder.*

77–79. „Du, Nachbar Gott . .“ to „Die Städte aber . . .“. From *Das Stunden-Buch.*

80–82. *Der Panther* to *Der Tod der Geliebten.* From *Neue Gedichte.*

83–84. „Nur wer die Leier“ to „Alles Erworbne . . .“. From *Die Sonette an Orpheus.*

84. *Der Goldschmied.* From *Letzte Gedichte und Fragmentarisches.*

85. „O das Neue . . .“. From *Späte Gedichte.*

85. *Magie.* From *Aus Taschen-Büchern und Merk-Blättern 1925.*

86. „Ach wehe . . .“. From *Gedichte 1906 bis 1926.*

98. *Die Muse.* From the cycle *Römische Elegien.*

101. „So weh den Ländern . . .“. Written in Autumn 1942, during the Second World War.

107. „aus heiß-erfühlten Armen“. Variants of the adjective in different printings of this poem are „sehnig-heißen“ and „schmiege-samen“.

109. *Reiterlied.* This poem was written in 1908 and became popular during the First World War. Zuckermann fell in action on the Eastern Front in 1914.

118. *Weltende.* One of the earliest Expressionist poems, first printed in 1911. The date of the death of van Hoddis is unknown.

122. *Wehrlos.* Written between 1936 and Loerke's death in 1941, during the Nazi régime.

129. *Bekenntnis.* Written in 1914 at the outbreak of the First World War.

131–4. Max Herrmann-Neiße, a refugee from Nazi Germany, spent the last years of his life in London.

148 and 149. Wolf von Kalckreuth, whose poetry shows the influence of Baudelaire, died by his own hand. Rilke wrote a *Requiem* for him.

155. *Soldatenabschied.* Written in 1914 at the outbreak of the First World War.

160. Alfred Lichtenstein fell in action on the Western Front in 1914.

171. *Päan gegen die Zeit.* An Expressionist poem written in 1916 during the First World War.

173. *Spiegelbild.* Written after Becher returned to Berlin at the end of the Second World War.

182 and 183. *Die letzte Epiphanie* and *An die Völker der Erde.* From a cycle written in the summer of 1944, in which the author stigmatized the Nazi régime.

185 and 187. Gerrit Engelke died of wounds in an English hospital on the Western Front in 1918.

190–6. Josef Weinheber died by his own hand when Austria was overrun by the Russian Army.

200. *Mühle zum Toten Mann* and *Mädchenlied.* Written during the First World War.

203–11. Gertrud Kolmar was the pseudonym of Gertrud Chodziesner, who disappeared in 1943 and met her death in a Nazi annihilation camp between then and the end of the war. Her collected poems were published under the auspices of the *Deutsche Akademie für Sprache und Dichtung* in Darmstadt in 1955.

216. *Legende vom toten Soldaten.* Written in 1918, towards the end of the First World War.

219. *Wiegenlieder.* Written in 1932.

225. *Der Mohn.* First printed in 1934, shortly after the accession to power of the Nazi Party.

231. *Ballade von den Kinderschuhen.* The shoes were those of children who were massacred in Nazi annihilation camps. The clothes of the victims were systematically collected for further use.

234–5. Albrecht Haushofer, who had been charged with complicity in the attempt on Hitler's life in July 1944, and thirteen others were taken from prison in Berlin in April 1945 and shot in the back of the neck by their guards in front of the prison gates. When the bodies were found, Haushofer was holding a thin volume of manuscript poems, bearing the title *Moabiter Sonette*, which he had written in his cell.

241. One of Reinhold Schneider's 'resistance' poems, written during the Second World War.

254–5. *Klage um den Bruder.* These three sonnets form part of a cycle of twelve written in memory of the poet's brother, who fell in action on the Eastern Front in 1942.

INDEX OF AUTHORS

INDEX OF FIRST LINES